MON DIEU ! QU'EST-CE QUI NOUS ARRIVE ?

Mettre fin à des milliards d'années de manipulation

Lynn Grabhorn

Traduit de l'américain par
Sophie Beaume

Copyright © 2003 Lynn Grabhorn
Titre original anglais : Dear GOD ! What's happening to us ?
Copyright © 2007 Éditions AdA Inc. pour la traduction française
Cette publication est publiée en accord avec Hampton Roads Publishing Company, Inc.,
Charlottesville, VA

Traduction : Sophie Beaume
Révision linguistique : Willy Demoucelle
Révision : Nancy Coulombe, Suzanne Turcotte
Graphisme : Nancy Lizotte
ISBN 978-2-89565-451-3
Première impression : 2007
Dépôt légal : 2007
Bibliothèque et Archives nationales du Québec
Bibliothèque Nationale du Canada

Éditions AdA Inc.
1385, boul. Lionel-Boulet
Varennes, Québec, Canada, J3X 1P7
Téléphone : 450-929-0296
Télécopieur : 450-929-0220
www.ada-inc.com
info@ada-inc.com

Diffusion
Canada :   Éditions AdA Inc.
France :   D.G. Diffusion
              ZI de Bogue
              37150 Escalquens-France
              Téléphone : 05-61-00-09-99
Suisse :   Transat - 23.42.77.40
Belgique :   D.G. Diffusion - 05-61-00-09-99

Imprimé au Canada

Participation de la SODEC.   Sodec
Nous reconnaissons l'aide financière du gouvernement du Canada par l'entremise du
Programme d'aide au développement de l'industrie de l'édition (PADIÉ) pour nos activités
d'édition.
Gouvernement du Québec - Programme de crédit d'impôt pour l'édition de livres - Gestion
SODEC.

Catalogage avant publication de Bibliothèque et Archives Canada

Grabhorn, Lynn, 1931-
   Mon Dieu ! Qu'est-ce qui nous arrive ?
   Traduction de : Dear GOD ? What's happening to us ?.
   ISBN 978-2-89565-451-3

1. Vie spirituelle-Miscellanées. I. Titre.

BF1999.G7214 2007   204'.4   C2006-941992-2

Table des matières

Introduction

S'il vous plaît, lisez ceci avant de commencer le premier chapitre.

Si vous feuilletez les pages de ce livre avant de vraiment vous y plonger, vos cheveux se dresseront sûrement sur votre tête parce que les informations vous sembleront pour le moins complexes. Or, ce n'est pas le cas.

Vous découvrirez dans ce livre combien vous êtes exceptionnel et indispensable à la race humaine, voire à l'existence en général.

Si le ton des premières pages vous semble plutôt morne, s'il vous plaît, n'en faites pas de cas. Ça ne durera pas longtemps !

Le thème est la liberté : une liberté individuelle inimaginable qui n'a jamais été expérimentée auparavant sur cette planète, ou dans l'histoire de l'humanité, ou dans votre histoire en tant qu'humain, ou encore dans l'histoire de l'Être.

Si le livre vous effraie un peu au début, poursuivez, car la fin vous offre les moyens de vous engager dans de simples étapes qui vous permettront d'accéder à cette liberté sans précédent.

L'information de ce livre n'a jamais été délivrée auparavant !

Bien que je ne sois pas sûre d'apprécier les honneurs d'être celle qui le fait... et bien... c'est le cas. L'information contenue dans ce livre est choquante, c'est vrai. Mais surtout, elle est facile à mettre en pratique. Elle pourrait être associée à des « tactiques de peur ». Soit, ceux qui le disent ont peut-être raison, car mon objectif est d'attirer votre attention et de vous pousser à un nouveau niveau d'existence qu'aucun humain n'a encore expérimenté auparavant.

La vérité, c'est que nous nous sommes fait avoir. Nous avons été utilisés. Nous avons été trompés, mais... MAIS... un nouveau jour viendra.

Alors, s'il vous plaît, restez avec moi jusqu'à la fin du livre, et voyez comme il est facile de changer ce qui nous a tous tenus captifs, depuis si longtemps.

En fait, ce livre traite de notre participation — volontaire, mais inconsciente — à un plan si bien tenu secret et si incroyable qu'il confond l'imagination. D'ailleurs, ce plan auquel nous participons involontairement est si rempli d'amour pour la création de la Vie qui appartient à l'humain, si rempli d'amour pour *l'ensemble* de la Vie, et si rempli d'amour, de compassion et d'attention pour toute l'existence, que nous sommes prêts à sacrifier nos innombrables vies de souffrances et de discordes seulement pour parvenir au résultat final qui doit arriver un jour — *SI* nous persévérions. Cela signifie, bien sûr, l'ultime récompense, qui n'est pas si loin.

Ce jour mémorable est très proche. Mais *votre* liberté peut être immédiate.

Alors s'il vous plaît! Lisez sans crainte. Lisez sans peur, sachant que la vérité est souvent désagréable. Si vous doutez que nous ayons tous été tenus captifs, et ce, en étant d'accord, laissez vos craintes et votre indignation faire surface. *Mais sachez qu'il y a un moyen de s'en sortir.* Pas dans un vague demain comme tant de livres de croissance personnelle le disent, mais aujourd'hui.

S'il vous plaît! Lisez avec envie, sans crainte. Ce qui est livré dans ces quelques pages est nécessaire pour installer les fondations qui vous permettront d'atteindre quelque chose d'entièrement nouveau pour l'être humain. C'est la vérité. Rappelez-vous :

L'information contenue dans ce livre n'a jamais été autorisée à être dévoilée auparavant.

Alors, foncez. Découvrez comment riposter à ce qui vous a tenu captif, vous et nous tous, et faites la différence, pas seulement pour vous, mais pour toute l'humanité.

Les étapes présentées ici sont terriblement simples. En plus, elles sont cruciales si vous désirez atteindre la liberté qui est offerte. Si ça provoque une curiosité en vous, alors lisez et faites que ça arrive.

Avec tout mon amour et mes remerciements,
— Lynn Grabhorn

P.S. : L'expression « Les Autres » vise seulement à faciliter la lecture et ne manque aucunement de respect à cette espèce.

Chapitre un

De quoi s'agit-il?

Comment vous sentez-vous ces jours-ci? Comment est votre vie? Comment est votre humeur? Ou celle de votre conjoint, de vos amis, de votre chien ou de vos collègues? Avons-nous tous un problème?

Si vous vous sentez bien, sans stress, contraintes ou souffrances, et que votre vie se déroule agréablement, tout comme celle de votre conjoint et de vos enfants, alors wow! Félicitations à vous! Mais, 99 % des gens sur cette planète doivent vous trouver bizarres! Se sentir bien n'est pas la norme ces temps-ci, et pour la plupart des gens, ça ne leur arrivera jamais.

Ce livre traite de la Lumière et des ténèbres, de vous et moi et de plusieurs milliards d'autres personnes. Il contient des informations stupéfiantes qui n'ont jamais été dévoilées jusqu'à maintenant. Pour cette raison, quelques chapitres sur notre passé assez incroyable seront nécessaires avant d'entrer dans le cœur de ce que nous pouvons facilement faire pour mettre fin — de façon individuelle au moins — à ce formidable contrôle par les entités des ténèbres avec lesquelles nous avons l'habitude de vivre inconsciemment, depuis si longtemps.

Alors, est-ce vraiment un livre de croissance personnelle? Et bien, ça s'en rapproche, mais ça n'est pas tout à fait ça!

Nous devons admettre que notre monde est dans un triste état. Bien sûr, nous avons déjà connu des mauvaises périodes dans l'histoire et nous nous en sommes sortis : le Moyen Âge, la peste, les croisades, etc. Mais les sombres moments que nous avons traversés alors n'avaient pas la couverture médiatique d'aujourd'hui, qui alimente si facilement notre anxiété.

D'abord, bien sûr, il y a le reste du monde. Puis, il y a nous : vous et moi. Soit, nous ne devrions pas être aux prises avec la famine si répandue, ou la violence contre les femmes, ou encore les assassinats terroristes, mais en réalité, comment se passe la vie de la plupart d'entre nous maintenant? Tranquillement? Sereinement? Dans la joie?

Sans pour autant nous battre, faisons-y face. Rappelons-nous le Moyen Âge, quand les gens n'étaient pas confrontés au réchauffement de la planète, au terrorisme international, au syndrome de la fatigue chronique, à la violation des structures religieuses, ou encore aux enfants souffrant de dyslexie ou de troubles de l'attention.

Dans la société d'aujourd'hui, il semble que l'anxiété soit la norme. Elle nous nourrit. Le « stress » est devenu commun à toutes les âmes vivant sur cette planète, que ce soit à cause des guerres si nombreuses, de la sécurité d'emploi, du marché boursier, des atrocités locales ou de la religion. Nous sommes devenus une espèce angoissée, des êtres humains tendus qui vivent de longues périodes terriblement difficiles et de rares moments de bonheur.

Il est alors temps de se poser la question à un million de dollars : « Pourquoi? » Pourquoi est-ce que ces dysfonctionnements arrivent à la majorité d'entre nous? Pourquoi sommes-nous tous, dans tous les coins de la planète, si terriblement troublés et incommodés? Pourquoi? Pourquoi? Pourquoi?

Qui va le croire?

Ce livre traite de choses simples que nous pouvons faire — une fois pour toutes — pour changer radicalement et sauvegarder nos vies. Malheureusement, ces choses simples ne seront dévoilées qu'à la fin du livre, parce que si je vous les disais maintenant, vous croiriez, sans l'ombre d'un doute, que je suis folle, dépressive ou psychotique.

Ce livre traite de la Lumière et des ténèbres présents dans notre univers. Vous découvrirez comment nous pouvons nous éloigner de l'influence des ténèbres, qui est beaucoup plus puissante dans nos vies que nous ne pouvons l'imaginer. En réalité, j'ai dû réfléchir longuement pour écrire ce livre pour cette raison, car je ne voulais pas passer pour une excentrique un peu dingue.

Avec mon dernier livre qui se classe parmi les meilleurs vendeurs (*Excusez-moi, mais votre vie attend*) et qui se vend encore très bien, tout en moi me disait : « N'écris pas ça, tu es une imbécile, sinon *Excusez-moi…* deviendra dépassé plus vite que tu ne peux le dire, "Oh mon Dieu, j'ai fait une gaffe!" »

Néanmoins, bien que je ne sois pas des plus courageuses ou militantes, je savais que la vérité devait être écrite, car je sais que c'est la vérité et j'en ai fait l'expérience.

Soit, certains croiront que ce qui est écrit dans ces pages est du domaine des contes de fées. Mais pour ceux qui prennent ce livre à cœur, non seulement *leur* vie changera complètement pour le mieux (et non modérément), mais ils feront une différence significative pour la planète.

Si vous êtes un de ceux-là, alors vous êtes béni. Vous êtes en route pour un voyage fantastique!

La dernière chance!

Il va sans dire qu'un livre doit avoir un grand nombre de pages pour qu'un éditeur puisse lui fixer un prix qui, après que chacun a pris sa part, lui rapportera un bon profit. Mais j'ai décidé de ne pas « délayer » l'information que je voulais communiquer. Qu'il soit petit en nombre de pages ou non, ce livre sera fait de pure substance, pas de superflu. Sachant tout ceci, allez-y avec d'abord un « Wow, êtes-vous vraiment sérieuse? » (Ou encore. « Et bien ça alors, je n'ai jamais rien lu de tel! »)

La plupart des religions sur la terre font référence à la « guerre dans les cieux » entre la Lumière et les ténèbres. En fait, on retrouve ce thème dans ce qu'on a appelé le « Moyen Âge », avec la peste, les croisades, et dans ce que nous vivons maintenant, de la dévastation des forêts tropicales au syndrome de la fatigue chronique.

Mais de nos jours, ces périodes troubles sont très graves. Nous devons sortir de ce chaos que nous avons tous laissé s'installer, ou cette fois, l'humanité disparaîtra. C'est notre dernière chance et le temps est compté.

La vérité de cette guerre de longue haleine est qu'à un moment donné, nous avons perdu un combat. Ceux qui ne font pas partie de la Lumière ont gagné cette manche, grâce à toutes les brillantes manipulations que la plupart d'entre nous n'ont pas su entendre, voir ou auxquelles nous avons été indifférents.

Dans les pages suivantes, je vais vous transmettre ce qui m'a été dit sur le pourquoi, quand et comment cette guerre dans les espaces célestes a commencé, pourquoi elle a été relancée de façon si agressive maintenant, comment vous personnellement, vous avez été emprisonné en elle, ce que vous pouvez faire, et ce que les résultats seront, SI suffisamment de personnes parmi nous s'engagent dans de simples étapes pour mettre fin à cette horrible manipulation, au moins pour nos propres vies.

Bizarre?

Combien de livres de croissance personnelle avez-vous acheté récemment? Et combien d'entre eux avez-vous voulu jeter avant de les avoir terminés, ou du moins espéré que l'auteur vous fournisse des outils clairs? Le fait est que peu importe le livre de croissance personnelle que vous ayez lu (et peut-être mis dans un sac pour que personne ne le sache), aucun d'entre eux n'a pu vous donner d'outils clairs sans un certain ménage personnel inhabituel, ce qui constitue les simples étapes offertes dans ce livre. Tout ce que je dis est qu'aussi bizarre que ce livre puisse vous sembler, il est important. Il est vraiment important!

Je viens juste de vivre ce dont je parle ici, et j'ai des amis qui l'ont vécu et qui ont commencé à vivre des vies différentes. Leur compte en banque commence à augmenter, la plupart de leurs souffrances ont disparu, tout comme leur anxiété, voire leur ennui. Pour certains, les relations interpersonnelles se sont améliorées. Mais ce qui est peut-être le plus important, leurs étranges maux physiques ont disparu, et cette petite chose inconnue et vague nommée « joie » a commencé à s'agiter en eux pour la première fois depuis très, très longtemps, voire depuis toujours.

Quelques procédures toutes simples, voilà tout ce dont ce livre traite. Vous pouvez les faire au lit ou dans votre voiture, avec vos amis ou dans le bus, avec votre conjoint ou par vous-même, à la lueur de chandelles et avec le parfum de l'encens ou en marchant sur une plage, dans des moments de sérénité et de contemplation. Tout ce qu'il vous faut, ce sont des moments privilégiés où vous pouvez aller « en vous ». Trouvez cet endroit particulier qui est Vous, puis, une par une, suivez les étapes. C'est tout. C'est vraiment tout! Avec elles, vous changerez votre vie. Avec elles, vous changerez la direction de ce monde.

Oui, vous pouvez aller directement à la fin de ce livre maintenant pour découvrir quelles sont ces étapes. Si vous voulez le faire, allez-y. Mais attention... NE tentez pas de les mettre en pratique avant d'avoir lu tout ce qu'il est très important que vous sachiez d'abord. Je suis sérieuse. Vous avez besoin de certaines connaissances avant de vous précipiter, ou les simples étapes qui vous sont offertes seront aussi efficaces que d'escalader l'Everest à ski. Elles ne serviront à rien.

Donc, si vous devez jeter un coup d'œil, allez-y, mais revenez ensuite au début et apprenez ce qui est vital.

« Les bas-fonds », encore?

Sur une échelle de un à dix, dix correspondant à très heureux et un à quelqu'un qui est si déprimé qu'il prendrait des somnifères en permanence, où vous situez-vous?

Peut-être êtes-vous une de ces rares créatures plutôt contente, malgré certains petits accrocs. Ces accrocs peuvent concerner votre travail, votre maison, vos finances (je vous l'accorde, ça ne doit pas être un tout petit accroc), voire votre partenaire. Dans tous les cas, quelque chose ne marche pas tout à fait comme vous le voudriez et ça fait si longtemps que ça dure que vous pensez que c'est normal. Alors, où vous situez-vous sur l'échelle ? Peut-être à cinq ? Ou à six ?

Ou peut-être que vous êtes vraiment une de ces âmes exceptionnelles, qui sont, tout simplement, pleines d'énergie et d'entrain, éclatant d'enthousiasme, vivant avec passion et dévorant la vie. Presque un dix, un neuf. Même si c'est le cas (et je tiens à vous en féliciter chaleureusement), s'il vous plaît, ne jetez pas ce livre. Ces étapes sont pour tout le monde, que ce soit pour ceux qui ont autour de zéro et ne sont pas loin d'avaler du cyanure, ou ceux qui ont neuf ou dix et qui ne cessent de clamer leur bien-être.

La plupart d'entre nous sont probablement autour du cinq ou six, ce qui correspond à : « Je vais le faire, mais ça ne me tente pas plus que ça, et puis en plus, ça semble très dur ! Sans compter que je ne me sens pas à la hauteur. »

Même si vous étiez bien ancré dans votre six ou sept, peut-être avez-vous récemment dégringolé vers les quatre ou moins, car la vie a pris un tournant inexplicable vers les « bas-fonds ». C'est comme si vous aviez été doucement et inconsciemment recouvert d'un voile invisible de détresse, et qu'un nouveau et différent « vous » aurait transformé votre habituel sept rassurant, en un sombre petit quatre. « Mais que m'est-il arrivé ? Que se passe-t-il ici ? Je n'ai jamais été comme ça avant ! »

Encore une fois, peut-être que ce dont nous parlons ne vous a pas encore atteint. Mais si c'est le cas, vous devez souffrir physiquement et émotionnellement. Vous traînez-vous, vous sentez-vous de mauvaise humeur, fatigué, larmoyant, pessimiste, défaitiste, ou en avez-vous tout simplement assez?

Ou avez-vous déjà souffert d'avoir le souffle court ou du mal à respirer, d'affreuses migraines, des nuits d'insomnie accompagnées de sueurs, ou vous êtes-vous déjà senti comme si votre corps était fait de plomb, ou à l'inverse, comme du poulet frit Kentucky? Et bien oui, il y a pire encore, mais nous ne sommes pas obligés de le supporter — plus maintenant.

La bonne nouvelle, c'est que si ce que vous vivez est dû à quelque chose que vous ne voyez pas, vous pouvez y mettre un terme assez rapidement. Peut-être même encore plus important, si rien de ceci ne s'est produit encore, vous serez en mesure de l'éviter complètement. Je n'ai pas évité ces choses désagréables, parce que je ne savais pas qu'elles se produiraient. Mais, vous le pouvez. Je vous le promets, vous le pouvez.

Le déni principal

Vous avez sûrement entendu parler du syndrome de la fatigue chronique (SFC) et peut-être aussi de ce qu'on appelle la fibromyalgie. On se réfère souvent aux deux en même temps. Si vous avez l'impression de vous traîner tout le temps, vous avez probablement contracté une de ces maladies.

Vous avez aussi sûrement entendu parler des différents types de diabète et du fait que cette maladie est en pleine croissance dans les pays industrialisés. Si vous avez des sautes d'humeur rapides, ainsi que des hauts et des bas physiques, vous avez probablement un certain type de diabète.

Selon moi, si vous ne vous sentez pas bien physiquement, allez consulter, et de préférence voyez plus qu'un médecin.

Si vous êtes sérieusement déprimé, allez consulter et écoutez les avis ou les recommandations des médecins. Tout le monde sait que nous vivons avec des antidépresseurs ces temps-ci. (Vous êtes-vous déjà demandé pourquoi?)

De nombreux médecins ne savent pas grand-chose du SFC, ou qu'il s'agit, en fait, d'un virus. Si vous croyez, après vous être renseigné sur les symptômes du SFC sur Internet ou dans une bibliothèque, que vous pourriez avoir cette maladie, pour l'amour de Dieu, trouvez quelqu'un qui pourra vous soigner, car la guérison est tout à fait possible.

Toutefois, une fois que vous aurez fait les examens nécessaires et découvert que vous n'avez pas le diabète, mais que vous continuez à être d'humeur changeante et à avoir des problèmes physiques, ou que le traitement de votre médecin contre le SFC ou la fibromyalgie ne fonctionne pas, ou que vos antidépresseurs n'ont pas l'effet espéré, ou que votre pression est bonne, et que votre cœur, votre thyroïde, et autres, vont bien, alors sachez qu'il y a encore une avenue à explorer. C'est « la relève de la garde », l'arme secrète pour nous tous qui sommes incarnés en tant qu'humains. Nous tous. Tout le monde ! Mais, faites attention ici. Si vous avez déjà sauté d'un avion sans parachute ou que vous êtes infirme, ces étapes vous concernent quand même et elles amélioreront votre qualité de vie, *mais en aucun cas elles ne vous guériront.*

Si vous avez vécu une vie de doute, d'inquiétude et de peur, qui a fini par devenir une maladie diagnostiquée comme incurable, ces étapes vous concernent quand même et elles amélioreront votre qualité de vie, *mais en aucun cas elles ne vous guériront.*

Ces étapes, seules, ne guériront pas les maladies, ni ne vous mettront entre les mains le billet gagnant du Super Loto. Elles ne guériront pas votre diabète, ou votre cancer, ou ce dont vous souffrez, car seuls les soins appropriés de votre médecin et votre attitude le peuvent. De plus, elles ne feront sûrement pas de votre mariage misérable un conte de fées à la Cendrillon.

Voici ce que ces étapes feront :

1– **Mettre fin à la baisse de moral due à ce voile invisible de souffrances physiques ou émotionnelles chroniques que beaucoup d'entre nous dans ce monde vivent actuellement ;**

2– **Empêcher complètement les horreurs phy-siques et émotionnelles ;**

3– **Vous offrir une vie que vous n'auriez proba-blement jamais cru possible.**

Alors, s'il vous plaît, ne m'appelez pas, ne m'envoyez pas de courriel et ne m'écrivez pas (ou à mon éditeur) pour vos problèmes spécifiques, vos maladies ou vos symptômes. Je ne suis pas médecin ni psychologue et je n'aurais aucune réponse de qualité à de telles questions. Je suis quelqu'un qui a traversé un enfer physique, spirituel, émotionnel et mental ces dernières années, comme tant de gens en traversent maintenant ou vont en traverser, et j'en suis sortie parce que j'ai fini par trouver comment faire cesser cette torture.

Il s'agit d'un processus à mener sur deux fronts et à faire soi-même. Il est pour ceux qui aimeraient avoir un peu plus d'assurance contre ce qui pourrait les atteindre. Et c'est un programme à faire soi-même pour ceux qui sont déjà tombés à trois ou moins, dont les symptômes sont inexplicables, dont les souffrances mystérieuses viennent de nulle part, et à qui les docteurs sont incapables de donner des réponses.

J'espère sincèrement que peu importe que votre vie aille bien ou mal en ce moment, vous trouverez le désir d'évoluer avec cette simple méthode. Tout ce que je demande, c'est que vous alliez d'abord consulter, quoi que vous choisissiez. Puis, que vous soyez en pleine forme ou non, demandez-vous si les quelques minutes requises pour faire ces étapes ne valent pas la peine pour éviter un désastre potentiel aux conséquences très malheureuses. Vous n'avez rien à perdre et tout à gagner.

Qui est concerné?

Si vous avez déjà assisté à un atelier d'écriture, on vous a dit de tisser votre histoire autour des cinq mots suivants : Qui, quoi, où, quand et pourquoi par rapport à l'événement que vous racontez, surtout si c'est pour un journal.

Et bien, ces cinq mots sont assez complexes, mais le Qui de ceux qui ont été affectés — ou qui peuvent être affectés — par ce phénomène déroutant et débilitant que les gens subissent ou vont subir, et qui émane des guerres célestes, est assez simple.

Tout le monde est concerné. Que vous soyez une personne métaphysique ou évangéliste, athée ou croyante, ou quelqu'un qui n'a jamais eu à beaucoup y réfléchir, ou encore qui est très pratiquant, vous êtes à risque.

Si vous avez suivi une voie spirituelle de n'importe quelle sorte au cours de ces dix dernières années, comme des sessions de spiritisme pour en faire vous-même, ou lire des cartes de tarot, ou appeler des médiums sur des lignes ouvertes, vous êtes concerné.

Si vous n'avez jamais réfléchi à la religion ou à la spiritualité, mais que vous vous êtes déjà demandé d'où vous venez, ou pourquoi vous êtes ici, ou quelle est votre raison d'être, ou quelle force a créé tout ceci, ou pourquoi les étoiles restent au même endroit, vous êtes concerné.

Si vous respirez, vous êtes concerné!

Le gros lot : nous!

La guerre céleste entre la Lumière et les ténèbres est aussi vieille que l'univers. Et par « univers », j'entends tout ce que nous pouvons voir et ne pas voir dans toutes les dimensions, toutes les réalités et, j'ajouterai, dans tous les temps, le passé, le présent et le futur.

Quand l'homme a commencé son évolution, il est devenu clair à ceux qui observaient que quelque chose de très spécial commençait à se produire avec cette espèce, quelque chose qui n'avait jamais été vu dans l'univers avant.

L'être humain, dans sa troisième dimension, est rapidement devenu une créature fortement désirée et recherchée, car, contrairement à tout ce qui avait été vu auparavant, tous les secrets de la Vie, tous les secrets de l'être, et tous les secrets de l'existence étaient présents dans chaque corps. Le gros lot, finalement!

Ainsi, pour les raisons que nous venons de voir, « Les Autres », soit ceux qui n'étaient pas 100 % Lumière pure, ont décidé que c'était quelque chose qu'ils voulaient pour eux et ont travaillé à ce but, pendant des temps infinis. Cela signifie que nous — la race humaine — avons fait les frais de ce projet pendant très longtemps. Et c'est la recherche de ce gros lot qui a apporté tant de périodes de désespoir dans notre monde, tout comme celle que nous traversons aujourd'hui.

Cette fois, par contre, nous avons la possibilité de changer les choses. Cette fois, nous faisons face à un événement sans précédent et nous pouvons dire : « Plus de manipulations. Nous avons compris. » Soit, en arriver là demandera que nous agissions, mais seulement un peu, puis le pire des maux de l'humanité sera bientôt une chose du passé pour ceux d'entre nous qui désirent vivre dans la joie.

Mais le « grand événement » néanmoins, cette chasse intense à la générosité pourrait affecter chacun de nous sur la planète. Ça vous intrigue ? Oui, non seulement elle le pourrait, *mais elle le fera !*

Pourquoi prendre le risque ?

Nous tous, sans exception, subissons directement ou indirectement l'impact des « Autres » en ce moment même. Cela concerne chacun d'entre nous, et ce, depuis des millénaires.

Toutefois, nous ne serons pas tous les cibles de ce qu'ils sont en train de faire à l'humanité ces temps-ci. Peut-être en serez-vous la cible, peut-être que non. Peut-être que ce sera votre conjoint, ou un de vos employés ou peut-être le chef d'État. Ces chasseurs de trésor sont à la recherche de choses physiques que nous seuls, les humains, pouvons leur offrir. Alors, qui de nous sait lequel d'entre nous détient ce qu'ils veulent?

S'il vous plaît, je ne parle pas forcément d'enlèvements par des extraterrestres ici, bien qu'ils constituent une petite partie de ces chasseurs de trésor. Je parle de ces êtres invisibles qui nous utilisent pour des raisons qui leur sont propres qui feront que nous souffrirons beaucoup, à la fois physiquement et émotionnellement.

Mais, peu importe qu'ils décident ou non de tous nous utiliser, comme ils l'ont fait avec moi, nous sommes tous directement ou indirectement sous leur influence quotidienne. De toutes façons, qui veut prendre le risque que ça commence, ou que ça continue?

La question n'est pas de savoir qui est censé être une meilleure personne ou une moins bonne, ou une personne plus stable émotionnellement, ou plus riche, ou mieux éduquée qu'une autre. Même si ce n'est pas tout le monde qui souffrira physiquement, comme ce fut mon cas après que ces êtres des ténèbres eurent altéré mon corps, c'est environ 99 % de la population qui a été affectée directement dans sa vie personnelle depuis (et même avant) le jour de sa naissance.

Ceux qui sont les plus susceptibles d'être gravement touchés par ces êtres, comme moi-même, se sont déjà engagés dans cette folie (de façon inconsciente), car ils ont été trompés. Mais maintenant que les guerres sont à leur apogée, tout le monde peut être utilisé, simplement en raison de sa structure génétique.

Bon, maintenant, résumons.

1 – Nous allons tous être affectés

Ces entités des ténèbres, qui proviennent à l'origine de l'extérieur de cet univers, affectent ou contrôlent tout à fait actuellement des milliards de vies humaines, et le font depuis que les humains existent, et ce, de façon plus grave aujourd'hui que jamais.

2 – Plusieurs seront plus affectés que d'autres

Comme la situation est devenue urgente, Les Autres cibleront un groupe d'humains assez important pour des raisons purement égoïstes. Ceci implique des horreurs physiques très désagréables que je ne souhaiterais pas à mon pire ennemi, si j'en avais un. Ce n'est pas plaisant, c'est terrible, et si on m'avait offert la chance d'éviter ce que j'ai traversé, j'aurais sauté dessus.

Nos engagements et les bonnes intentions

Vous êtes peut-être de ceux qui se sont engagés dans ce qui pourrait, d'une certaine manière, aider l'humanité. Peut-être que vous ne pensez pas grand bien de l'humanité actuellement. Néanmoins, avant que vous soyez dans cette réalité à trois dimensions sur cette magnifique planète, vous avez peut-être signé un contrat pour faire quelque chose — de gros ou de petit — en faveur de l'humanité, simplement parce que vous avez toujours aimé cette existence humaine.

Vous saviez que notre espèce avait de gros problèmes, alors vous vous êtes engagé avec ceux qui étaient les vrais proches de la Lumière et, dans votre empressement, avec ceux qui ne l'étaient pas.

Peut-être avez-vous signé un contrat pour aider un certain groupe à s'éveiller. Peut-être était-ce juste pour aider une personne. Ou peut-être... et c'est là le top... était-ce pour aider l'humanité à devenir, finalement, plus qu'elle est maintenant, plus que des petits conflits et des disputes, plus que des actions abusives, plus que des guerres et des atrocités, plus que des manques et des souffrances émotionnelles. Peu importe ce que vous vouliez faire avant de revenir ici, si vous avez signé, c'est parce que vous vouliez aider. Il se peut donc simplement que vous ayez été dupé en vous engageant avec « Les Autres ».

Enfin, chacun d'entre nous a signé un certain contrat avant de venir ici. Mais ce n'est pas de cette sorte de contrat « normal » dont je parle ici. Celui que bon nombre d'entre nous ont fait avec Les Autres n'était pas normal et vous avez dû être un peu précipité pour le signer. Ce fut mon cas.

Pas besoin d'être rabbin, gourou, ou humaniste pour avoir signé cette chose. Vous pourriez être jockey, femme au foyer, chef d'entreprise ou amateur de ski. Ça n'a pas d'importance. Si vous avez signé ce contrat plutôt inhabituel, vous l'avez fait parce que quelque chose en vous, quelque part, voulait aider cette espèce en danger nommée « humains » que vous êtes venu consciemment ou inconsciemment à aimer.

Quand vous lirez la merveilleuse histoire de la création et l'histoire de ce qui va bientôt être offert à tout notre univers, vous comprendrez pourquoi « Les Autres » sont à plaindre tout en étant effrayants.

Pour des raisons qui sont franchement tristes, ils ont besoin non seulement de ce que notre univers a — qu'ils n'ont jamais eu — mais plus spécifiquement maintenant, de ce que nous, en tant qu'humains, avons. Pour ce faire, ils sont devenus nos guides, nos consciences, et même nos « Moi Supérieurs », car ils savent que s'ils ne parviennent pas à découvrir et à utiliser ce trésor particulier qui ne peut venir que d'entités vivant dans cet univers de Lumière, ils n'existeront que dans le néant, et jamais dans la Vie.

Ce qu'ils recherchent, c'est l'immortalité. Ce qu'ils sont en voie de réaliser, c'est qu'ils ne pourront jamais l'avoir à moins de trouver le secret de cet univers, contenu étonnamment dans le corps humain.

Ainsi, ce grand groupe des ténèbres a tramé un plan il y a longtemps pour tenter de maintenir son existence. Il n'y avait rien de malicieux ou de méchant dans son intention, seulement le besoin de survivre. Commençant à manquer de temps pour récolter le trésor tant recherché, LES AUTRES mirent au point un stratagème visant à convaincre le plus d'humains possible. Ceux-ci devaient trouver le moyen d'aider l'humanité, et ce faisant, avec un peu de chance, les aider eux, Les Autres.

Certains parmi nous ont signé simplement pour que nos fréquences vibratoires augmentent afin d'entamer le processus de réveil de l'humanité.

Certains parmi nous ont signé pour que des parties microscopiques de nos cerveaux soient prélevées pour créer des tissus vivants qui serviraient de puces de mémoire dans des ordinateurs à l'extérieur de cet univers.

Certains parmi nous ont signé pour que des échantillons de notre ADN soient prélevés et placés dans de nouveaux types de corps expérimentaux créés dans le monde occulte.

Certains parmi nous ont signé pour que des parties microscopiques de notre mécanisme auditif soit prélevées pour permettre des expériences avec des formes inexplorées d'écoute.

Certains parmi nous ont signé pour que des morceaux infinitésimaux de nos yeux soient utilisés pour les mêmes raisons, comme diverses glandes et organes.

Certains, dont moi, ont signé pour que de nouveaux corps entiers soient créés directement à partir du nôtre, dans une dimension supérieure, simplement pour voir si c'était possible. Cela peut être accompli de notre troisième et quatrième dimension à la cinquième et sixième dimension, puis (comme on me l'a dit) cela peut se faire au niveau supérieur, et au suivant, jusqu'à ce que l'être en tant qu'humain soit enfin capable de vivre dans des dimensions supérieures, ce que nous avons toujours cru impossible. L'erreur dans cette théorie est bien sûr qu'aucune entité clonée, indifféremment de la fréquence, ne peut transporter l'étincelle de Vie que nous appelons l'Âme. Mais la plupart d'entre nous n'y ont pas pensé, à l'époque.

De la science-fiction? Non. Juste un groupe insensible d'êtres du monde occulte qui ont dû avoir les meilleures intentions pour eux-mêmes, mais qui ne se sont pas inquiétés des effets nuisibles que ces expériences pouvaient causer au corps humain, sans oublier au psychique humain.

Néanmoins, dès que nous avons accepté que ces entités des ténèbres nous guident vie après vie, nous avons aussi accepté qu'elles nous utilisent pour ce que nous croyions être le meilleur intérêt de l'humanité. Pouvons-nous vraiment avoir été aussi stupides? Et bien, oui, dans les circonstances, nous avons pu l'être, et nous l'avons été.

Mais nous avons une porte de sortie. Bien que la loi cosmique dise qu'un contrat est un contrat, elle dit aussi qu'il ne peut se briser jusqu'à ce que, et à moins que, les circonstances dans lesquelles ce contrat a été signé changent. Or, les circonstances ont changé. Et ceci, grâce à Dieu, est notre porte de sortie, avec ou sans ce stupide contrat!

Chapitre deux

Les trois premières années

Latrois jeune femme dans les coulisses de la salle de réunion avait du mal à ajuster le micro sur moi. Pour une raison quelconque, elle n'arrivait pas à l'accrocher à mon chemisier et ne semblait pas réussir à trouver d'endroit où insérer la batterie au dos de mon pantalon. Je faisais de gros efforts pour être au « top » physiquement, mais chaque seconde passée à attendre tandis qu'elle me tripotait, me faisait perdre mon énergie.

Dieu seul sait pourquoi j'avais accepté cette conférence. S'il ne s'était pas agi d'une amie qui avait accepté de venir avec moi, de me soutenir, de me pousser quand nécessaire et de me « materner » de l'avion jusqu'à notre chambre puis sur l'estrade, je n'aurais jamais accepté. Mais maintenant, avec tous ces désagréments, j'avais peur. Énervée par ce fichu micro, je voulais tout annuler.

J'ai entendu la présentation commencer, un long discours sur la façon dont j'étais arrivée à ce point déterminant de ma vie, puis finalement mon nom fut annoncé. J'étais habituée à ce genre de conférence depuis que mon livre était devenu populaire et habituellement j'aimais ça. Mais, là, je n'étais plus sûre de pouvoir monter sur l'estrade.

Les applaudissements ont commencé... J'ai marché d'un pas assuré tout en saluant les centaines de personnes qui étaient debout et m'encourageaient de leurs applaudissements. Je me suis forcée à sourire et à faire de grands signes de la main pour saluer, alors que je me répétais : « Fais-le! Tu peux le faire. Allez, vas-y! » Je devais réussir pour ces merveilleuses personnes. Peu importe comment, je devais y arriver.

Et je l'ai fait, mais ce fut difficile. Quand nous sommes retournées à notre chambre d'hôtel, je me suis effondrée comme un vieux chiffon humide, j'ai fait de mon mieux pour entretenir une conversation avec mon amie, puis je fus terrifiée à l'idée de me coucher. L'« énergie » m'avait permis de faire mon discours, mais maintenant, de retour dans ma chambre d'hôtel, la nouvelle énergie négative qui m'avaient envahie récemment refaisait surface. Je redoutais la nuit.

Les trois premières années de grandes douleurs physiques étaient passées. Mais, ce qui m'arrivait maintenant était indescriptible, et atroce. Oui, j'en avais eu un aperçu lors de cette conférence, que je savais être ma dernière, à moins d'un changement radical dans ce qui se passait en moi, peu importe ce que c'était.

Dormir dans ma chambre d'hôtel cette nuit fut impossible. Qu'est-ce qui avait changé depuis ces trois dernières années? Quelle était cette nouvelle et horrible énergie? Pourquoi allait-elle en croissant? Pour combien de temps encore? Pourquoi cela se produisait-il? Qui essayait de me faire du mal ? Est-ce que je devrais vivre avec ça pour le reste de ma vie ? Mon Dieu, *est-ce que quelqu'un pourrait m'aider ?*

« Excusez-moi, mais votre vie attend »

Je ne suis pas de celles qui se sont éveillées grâce à une quelconque recherche spirituelle tôt dans leur vie. En fait, j'étais dans la mi-cinquantaine quand j'ai bifurqué et pris le chemin qui se présente à vous maintenant — le chemin qui dit : « Non, non, pas par là. Vous avez déjà été ici/fait ça. Il y a un nouveau chemin. Prenez-le ! » Et je l'ai fait, avec un tout nouvel entrain.

Jusque-là, j'avais tout fait, de messagère pour un grand studio de photo de New York à divers emplois dans la publicité, jusqu'à la fondation d'une maison d'édition nationale spécialisée dans l'audiovisuel, respectée à Hollywood. Comment j'ai fini par quitter le monde de la publicité et de l'audiovisuel pour créer ma propre compagnie de courtage hypothécaire voilà près de vingt ans, est encore un mystère pour moi, mais je l'ai fait, et j'en ai été plutôt heureuse.

À un moment donné au cours de ces vingt années, il m'est venu à l'idée que je pouvais faire beaucoup plus d'argent, ce qui me contrariait, comme une douleur lancinante. Je veux dire que c'est là que j'ai commencé ce voyage spirituel pendant presque dix ans tout en ayant toujours du mal à payer mes factures. C'était déprimant.

Puis soudain, un beau jour, de nouvelles choses pleines de bon sens ont croisé ma route et j'ai réalisé en un instant que quelque chose était sur le point de changer. J'ai su aussi que ces choses étaient si importantes que je devais écrire un livre dessus.

J'ai commencé ma recherche pour le livre, surtout les fins de semaine, bien sûr, car j'avais encore ma petite compagnie de courtage. Et évidemment, plus je faisais de recherches pour mon livre, plus je remarquais de beaux changements financiers arriver et plus j'avais de vraies idées novatrices pour augmenter considérablement mes revenus.

Le changement ne s'est pas fait en une nuit, mais après huit mois à vivre chaque jour les principes que j'écrivais les fins de semaine, mes revenus ont tellement augmenté que mes impôts étaient parmi les plus élevés.

Mon entreprise de courtage avait atteint l'ampleur d'une organisation nationale et j'avais aussi du succès dans l'écriture. En dehors de quelques étranges et très inhabituels changements d'humeur qui semblaient coïncider avec des périodes occasionnelles de fatigue extrême, j'étais très satisfaite de ma vie, de mes revenus, de mes fins de semaine d'écriture et de m'intéresser à ce qui m'arrivait autant physiquement qu'émotionnellement.

Une fois mon livre terminé, ce ne fut pas long avant que mon éditeur me demande de signer un contrat. *Excusez-moi, mais votre vie attend* marqua le début d'une période à 100 à l'heure et il me sembla que l'univers s'était surpassé pour me donner la preuve que ce que j'avais écrit était bien vrai. *Excusez-moi...* est vite devenu un best-seller et j'étais au septième ciel. Presque.

La première année qui à suivi ce livre, j'ai voyagé d'un bout du pays à l'autre, donnant des séminaires et des conférences. J'ai trouvé un peu étrange qu'à Key West, je souffre d'une terrible (et je pèse mes mots) diarrhée pendant toute une fin de semaine. Et j'ai trouvé encore plus étrange qu'à Colombus, j'ai eu de la difficulté à me concentrer, ou à trouver ces petites phrases drôles qui sont le propre d'un bon animateur.

Puis, le Texas a été annulé. Ensuite, ce furent Saint-Louis et Sacramento. J'avais autant de mal à sortir de mon lit à la maison qu'à monter dans un avion. Mon cerveau était comme une balle de coton, avec juste un semblant de pensées organisées. Tandis que je vivais seule pour la première fois depuis des années, même mes précieux chiens commençaient à m'ennuyer. Encore pire, ma compagnie de courtage montrait des signes graves de mauvaise gestion. Qu'est-ce qui se passait? Qu'est-ce qui n'allait pas avec moi?

La formule « Non, désolée, je suis très prise pendant les prochains mois » devint mon mensonge préféré. Comme le livre gagnait en popularité, les téléphones pour des conférences semblaient arriver aussi vite que le tir d'une mitraillette, et j'ai dû toutes les refuser, y compris celles auxquelles je devais participer le jour même. Je passais de plus en plus de temps couchée et je refusais de plus en plus d'entrevues à la radio. Qu'est-ce qui se passait? Qu'est-ce qui n'allait pas?

Docteur, s'il vous plaît?

Un docteur après l'autre, un spécialiste après l'autre, rien n'y faisait. « Essayez cet antidépresseur. » « Essayez ce somnifère. » « On n'arrive pas à trouver ce qui ne va pas avec vous. »

On ne trouvait rien! Je ne faisais que me traîner et la seule pensée d'une conférence (qui maintenant était devenue chose du passé), ou de maintenir à flot ma compagnie de courtage, ou même de nourrir mes pauvres chiens m'accablait terriblement.

Puis, il y eut ces amis gentils et attentionnés qui ne cessaient de me conseiller avec beaucoup de bonté de lire mon livre. « Lynn, tu l'as écrit, pourquoi ne le mets-tu pas en pratique? » Un autre de ces téléphones et j'engageais un tueur pour quiconque était à l'autre bout de la ligne.

Finalement, en désespoir de cause, j'ai contacté une amie homéopathe. Elle a diagnostiqué à juste titre que même si je n'avais pas de diabète, mes organes se comportaient comme si j'en souffrais. Elle m'a prescrit un régime strict pour diabétique, m'a fait surveiller régulièrement mon taux de sucre dans le sang, et effectivement, j'ai commencé à sortir de ma léthargie.

Mais alors pourquoi est-ce que les médecins ne l'avaient pas trouvé? Quelle sorte de don avait mon amie pour avoir mis le doigt sur ce qui n'allait pas? Et encore plus important, *pourquoi* est-ce que ça n'allait pas? Qu'est-ce qui avait bien pu se passer en moi pour que je souffre de la même façon qu'un diabétique sans avoir de diabète?

Ce ne fut pas long avant que je le découvre, ou du moins, que je pense l'avoir découvert. Ce qui est terrible, c'est que j'étais heureuse.

Mon amie fut capable de rassembler l'information à propos de mon corps, celle que *donnait* mon corps, car elle parlait véritablement au corps. Bien qu'elle soit une spécialiste en médecine, elle était aussi ce qu'on pourrait appeler une « voyante », et bien plus qu'un médium. Elle pouvait parler à ceux qui me contrôlaient dans le monde occulte, puis, avec ses connaissances médicales et l'information qu'elle obtenait de ce que j'ai appelé « mes troupes » dans le monde occulte, elle a trouvé les réponses qui ont fini par me remettre sur pied. Ou du moins, presque à me remettre sur pied.

Ce qui m'a le plus surprise, toutefois, fut quand elle a commencé à me dire que mes fréquences avaient augmenté artificiellement en vue de nouvelles expérimentations sur mon corps. Puis elle me parla d'un « double shamanique ». Hein ? Un quoi ? Mais je n'ai pas eu d'autres informations pendant très, très longtemps.

Peu importe, cette amie m'avait bien aidée. J'ai donc suivi religieusement mon régime pour diabétique, mais mes fréquences ne cessaient d'être augmentées. Les sueurs nocturnes devinrent banales et n'avaient rien à voir avec la ménopause dont l'arrivée était assurément de l'histoire ancienne.

Mes pauvres glandes surrénales étaient en très mauvais état, mais tenaient le coup grâce à certains suppléments homéopathiques. La vie semblait aller un peu mieux, mais mon niveau d'énergie était toujours au point mort. Je voulais plus d'information, plus que j'en avais obtenue de mon amie, mais comment l'obtenir, ou à quel endroit se rendre pour ça. Néanmoins, j'ai continué à chercher des réponses où je le pouvais, tout en faisant ce que je pouvais pour maintenir à flot ma compagnie de courtage chancelante.

En repensant à l'étrangeté de ces trois premières années, je vois maintenant combien l'information m'avait été divulguée intelligemment par ceux du monde occulte, à travers mon amie. C'était comme si je devais me sentir honorée d'être au service d'un plan brillant pour transporter plus de Lumière, et de conscience, et d'éveil à l'humanité. « Oh, quel genre d'imbéciles nous sommes, nous, les mortels! »

Après tout, si mes fréquences étaient augmentées, cela ne signifiait-il pas que d'autres personnes pourraient en bénéficier? N'était-ce pas le but de chacun d'entre nous dans ce noble parcours spirituel d'augmenter nos fréquences? Alors, je servais à quelque chose, n'est-ce pas? Ça me semblait bien.

Avec toute cette confusion, j'étais prête à souffrir des effets du diabète dus à mes organes qui se fermaient un à un, car ils étaient reconstruits dans une fréquence supérieure. C'est sûr. Ça avait du sens. « Ça me fait du bien et regardez ce que je fais pour l'humanité ». J'ai temporairement oublié cette histoire de « double shamanique » et me suis concentrée sur le syndrome du « ça me fait du bien ». « Je fais quelque chose. Regardez! Je fais quelque chose. Et ça me fait du bien! » Ho, ho, ho!

La période du balancier

Heureusement, au cours de toute cette étrange période, je suis parvenue à mettre en pratique les principes de *Excusez moi, …* La vie, en général, semblait beaucoup moins stressante. Bien que je ne tondais plus mes acres de pelouse et que je ne jouais plus avec mes chiens, et surtout que je n'acceptais plus de conférences, j'étais encore capable de passer de belles fins de semaine à travailler sur mon nouveau livre, le livre audio de *Excusez-moi,…* Je voyais plus d'amis que d'habitude et je vivais une vie presque normale.

Mais cette fichue histoire de « double shamanique » était toujours dans ma tête et je voulais plus de réponses.

« Jusqu'où mes fréquences doivent-elles grimper ? »

« Que se passe-t-il ensuite ? »

« Qui fait ça ? »

« Est-ce avec mon accord ? »

« Que signifie ce double shamanique ? »

« À quoi sert-il ? »

« Quels sont les bénéfices pour la planète, ou l'humanité, ou même pour moi ? »

« Combien de temps est-ce que ça va durer ? »…

Des questions, des questions, encore des questions. Il y en avait tant dans ma tête que j'ai commencé à les écrire pour qu'elles s'arrêtent. Puis, exactement au milieu de cette quête effrénée de réponses, j'ai découvert quelque chose dont je suis aujourd'hui profondément reconnaissante, mais à l'époque — et pendant les quelques années qui ont suivi — ça s'est avéré m'apporter des catastrophes les unes après les autres.

« Et bien, qu'est-ce que ça peut bien faire ! J'avais tout essayé, alors pourquoi ne pas essayer ça ? Non, ne fais pas ça, tu vas aller à l'extérieur du Soi. De toutes façons, ce n'est rien qu'un rêve. Ou peut-être pire. Et puis, qui ça intéresse ? Si tu peux avoir une réponse ou deux... peut-être... et bien, pourquoi pas ? Très bien, fais-le, mais au nom du ciel, ne le dis à personne ! »

Donc, j'ai acheté un pendule. Je l'ai appelé mon « balancier » J'en savais peu sur les inconvénients que cet objet entraînerait, ou sur la douleur que ça m'occasionnerait. Tout ce que je voyais dans ma recherche désespérée de réponses, c'était... des réponses !

« Wow ! Incroyable ! Je suis libérée. Ça marche vraiment. Maintenant, je peux découvrir ce qui m'est arrivé, ce que je devrais faire, ce que je devrais manger, prendre ou sentir ! Parlons des livres. Parlons de l'endroit où habiter. Parlons de ... voyons... de ce qui ferait que je me sentirais mieux. »

Laissez-moi vous dire rapidement qu'un pendule, s'il est bien utilisé (et je veux dire *TRÈS* bien utilisé), peut être un outil fantastique à se procurer pour apprendre certaines choses sur soi, ce qui serait impossible autrement. Mais, comme n'importe quoi d'autre dans le monde occulte, y compris les voix dans la tête de quelqu'un, ou des informations de *channelling* par le biais d'un individu, ou la tablette Ouija, ou les cartes de tarot, ou les runes, il peut s'avérer être une catastrophe pour le bien-être de quelqu'un. Ce fut assurément mon cas. Je me suis enthousiasmée pour ce qui venait de ce balancier, de cet hameçon, de cette ligne et de ce plomb, sans penser au fait qu'il pouvait être bien ou mal utilisé. Je posais une question et j'avais une réponse, voilà tout. Qu'est-ce qu'il pouvait y avoir de malveillant là-dedans ? En fait, je ne voyais pas le mal que ça m'occasionnait.

Ce que je ne savais pas à l'époque — à mon grand regret — était que tout un groupe d'entités, qui étaient autour de moi, faisaient du temps supplémentaire, et bien évidemment, me fournissaient les réponses qui correspondaient le plus à leurs besoins. Quant à la réalisation de notre contrat mutuel, qui n'avait vraiment rien à voir avec le fait d'apporter la Lumière dans ce monde, elle ne servait que leurs recherches.

« Devrais-je prendre ce truc dont m'avait parlé mon amie ? Et si oui, en quelle quantité ? »

« Oui, tu devrais le prendre, mais non, ce n'est pas la bonne quantité. Divise-le par X. Ou augmente le de X. Ou sinon, arrête tout. »

Ça s'est passé quand mon corps et mon esprit sont tombés malades. Pas toute l'horreur qui allait arriver : juste le mal mental et physique, car les symptômes du diabète avancé (que les médecins continuent à nier) semblaient progresser à une vitesse effrayante. À ce jour, il était clair que je n'irais pas mieux, contrairement à ce que j'avais tant espéré. Il n'y avait pas de doute. Mon cas s'aggraverait et ça me fichait une peur bleue.

Mon amie homéopathe et mon balancier ont continué à me dire que j'avais enclenché le processus qui augmentait rapidement mes fréquences. Cette information me semblait juste, car comment était-il possible qu'on se sente ainsi, sans symptômes médicaux, et sans que rien d'inhabituel ne nous soit arrivé?

J'en connaissais assez sur ledit éclaircissement spirituel (et je le dis avec une grande prudence) pour croire que ce qui m'arrivait était tout simplement un processus dans lequel j'avais dû m'engager il y a longtemps, et que même si ça pouvait être désagréable pendant un moment, ce serait sûrement bénéfique pour toute l'humanité. Encore une fois, oh, oh, oh!

« Cher balancier et guide, est-ce que mes fréquences augmentent pour le bénéfice de l'humanité ? » « Oui. »

« Cher balancier et guide, est-ce que ce processus durera encore longtemps ? » « Non. »

« Cher balancier et guide, en es-tu sûr ? » Un grand mouvement de balancier pour un grand « oui ».

Cher balancier et guide « ceci », cher balancier et guide « cela ». J'étais à l'aise avec les réponses que j'obtenais, réponses qui me procuraient une certaine sécurité par rapport à ce qui m'arrivait, des réponses dont je pensais avoir besoin… à propos de ma compagnie de courtage, de la vente de mes livres, des changements de mon corps, etc.

« Cher balancier et guide, il semble que quelque chose ne va pas avec ma chienne, Lucy. Pouvez-vous me dire pourquoi? » J'attends jusqu'à ce que je pense que j'ai entendu sa réponse dans ma pensée, puis je vérifie cette réponse avec le balancier.

« Ma chienne a une tumeur ! » « Oui. »

« En es-tu sûr ? » « Oui. »

Naturellement, j'ai paniqué, réaction qui correspondait aux attentes de ceux qui activaient mon balancier. Je savais qu'une telle émotion négative n'était pas souhaitable, mais ma tête était si confuse et mon corps si fatigué que je ne raisonnais plus normalement.

J'étais calme quand le vétérinaire pensa voir une petite tâche noire sur une radio. Après tout, c'est ce qui m'avait été prédit. L'équipe de médecins pour chiens opérèrent, mais ne trouvèrent rien.

Aussi longtemps que je vivrai, je n'oublierai jamais le lendemain quand je suis allée rechercher la pauvre Lucy chez le vétérinaire. Elle avait toujours eu très peur des cages, et là elle était en cage, déprimée, désespérée et plus misérable que toutes les créatures vivantes que j'ai vues dans ma vie.

« C'est bon pour toi, Lynn, c'est bon pour toi. Tu viens juste de faire charcuter ta chienne bien-aimée pour rien. Peut-être que maintenant, tu verras d'un autre œil ce fichu balancier. »

Tout en moi me disait que quelque chose clochait quand j'utilisais le balancier, mais je continuais à vouloir plus de réponses. Tout en moi me disait que j'obtenais des réponses qui n'avaient pas de sens, mais je continuais à en vouloir plus. Tout en moi me disait de jeter ce fichu objet. Mais je ne l'ai pas fait.

Un sursis de courte durée

J'en suis vite arrivée au point où, pendant des mois, je ne pouvais plus sortir du lit, sauf pour nourrir les chiens, et moi. La télé de ma chambre était devenue ma seule échappatoire, car ma fatigue physique croissante et mon état émotionnel étaient réduits à la simple survie.

Les demandes pour faire des entrevues à la radio ont continué à venir de mon éditeur, jusqu'à ce que après m'être excusée, j'y mette complètement fin. Quand le téléphone sonnait, je paniquais, me demandais sans raison si c'était un procès concernant mon affaire de courtage, ou une demande pour une conférence.

Rien n'avait de sens. Je m'accrochais à la croyance que c'était pour le bien de l'humanité. Mon Dieu! Comment quelqu'un de sain pouvait-il continuer à penser de cette façon? Et c'était là le problème. Mon esprit était perturbé, depuis longtemps.

Finalement, mon amie homéopathe a réagi et m'a délicatement demandé de commencer à l'écouter plutôt que mon balancier auquel je faisais trop confiance. Après un an et demi de lit, d'esprit déformé, accablé et confus, je l'ai écoutée et mon rétablissement a commencé, encore une fois. Du moins, c'est ce que je pensais.

Le *Livre audio* était presque fini et avec les droits d'auteur de *Excusez moi…*, je savais que je pouvais mettre enfin mon entreprise de courtage de côté. J'ai fait mes excuses à la merveilleuse équipe qui m'entourait en disant que j'avais beaucoup de pression avec la popularité de mon livre, que ma passion se trouvait là pour le moment, que j'avais besoin de ça et que je voulais suivre cette passion.

Pendant un court moment, alors que mon entreprise était en train de se vendre, je semblais remise sur pied. Je finissais le *Livre audio*, faisais quelques entrevues à la radio, et aimais à nouveau mes chiens. Tout semblait avoir repris sa place. Peut-être que ces moments désagréables étaient vraiment finis. Peut-être que je pourrais avoir une vie. Peut-être que je pourrais retourner en Californie. Peut-être, peut-être, peut-être...

Chapitre trois

Le conte de fées qui s'avère vrai

Il était une fois, dans des temps très anciens, le vide. En fait, non, le néant. En fait, pas vraiment. Disons qu'il n'y avait rien. Mais rien de rien !

La création pour les nuls, comme moi

Il a fallu la difficile transition des trois premières années de doux malaise aux trois années suivantes de torture physique et émotionnelle indescriptible, avant que finalement — *finalement* — je comprenne que mon balancier était manipulé habilement par un groupe d'entités pas très gentilles et que j'en souffrais terriblement. Mais une fois que j'ai compris et appris ce que je devais faire pour obtenir une bonne information de ce petit caillou — plutôt qu'une catastrophe —, tout a changé et toutes les horreurs ont cessé. (Ne vous inquiétez pas, je vous dirai comment.)

Enfin, je savais ce qui m'était arrivé et ce n'était pas agréable. Je n'avais plus rien à voir avec le côté exalté du « allons au front » auquel je m'étais accrochée pendant si longtemps à propos de toutes ces choses merrrr-veilleuses que je faisais pour la Lumière et pour l'humanité. Oh non. Je devais accepter le fait que j'avais été manipulée par toute une clique d'individus de l'extérieur de cet univers dont je ne voulais pas faire partie.

Finalement, mais pas tout de suite, j'ai découvert comment arrêter la punition physique et émotionnelle que je vivais. Inutile de vous dire que le soulagement fut extraordinaire!

Pendant une courte période, après que j'ai enfin compris comment éviter la manipulation de mon balancier, j'ai découvert non seulement ce qui m'était arrivé, mais ce qui était arrivé à l'humanité depuis des millénaires, avec l'histoire exaltante de ce qui sera — j'espère — connue de nous tous, très bientôt.

J'ai découvert comment mettre fin à la torture redoutable que j'avais traversée pendant la deuxième période de trois ans de ma manipulation par des forces qui se trouvaient partout autour de moi. Le plus important peut-être, c'est que j'ai découvert pourquoi ça se produisait. C'est alors que, après la fin de l'enfer, j'ai su (et qu'on m'a dit), que je devais transmettre l'information par le biais d'un livre.

« Avez-vous perdu la raison? Est-ce que c'est une blague? Qui va me croire? Je serai sur la liste noire avec non seulement mon éditeur, mais avec tous les éditeurs de la planète, sans oublier tous ces gens qui m'ont fait confiance, ont acheté mes livres et en ont tiré de grands bénéfices. Y a-t-il une autre solution? Oh, s'il vous plaît, est-ce qu'il y en a une?»

« Non, cette histoire doit être racontée.»

« Oh pitié! Aidez-moi!»

Néanmoins, j'ai commencé, en assemblant les éléments un à un de ce que j' « entendais » dans mes pensées et en vérifiant ces informations avec mon balancier ainsi que des nombreux livres écrits et diffusés par *channelling* bien avant que les choses commencent à chauffer sur notre planète.

Est-ce exact? Est-ce réel? Tout ce que je peux dire, c'est qu'aucune entité des ténèbres qui se respecte ne risque de transmettre cette sorte d'information, car elle semble — pour nous, du moins — être incongrue à ce grand groupe d'êtres.

En fait, je ne sais pas vraiment si cette magnifique histoire que je m'apprête à révéler est vraie. Je sais seulement que c'est ce que j'ai entendu et vérifié au meilleur de mes capacités.

C'est l'histoire de la création. Elle est attachante et décrit grossièrement pourquoi l'humanité a toujours vécu des difficultés. Comme je n'ai pas l'envie, ni la capacité, de donner des leçons de physique sur le cosmos en dehors de cette information, je vous la livre comme elle m'est venue, avec une grande simplicité.

Qui s'inquiète qu'une myriade de détails et de nuances soient manquants? Qui s'inquiète que cette histoire m'ait été transmise dans un vocabulaire aussi restreint? Le mythe, après tout, c'est prendre une pensée abstraite et la livrer dans un style digeste.

Et c'est ce qu'est cette histoire : un conte de fées fondé sur la vérité. Du moins, c'est ce qui m'a été dit.

Le sujet de cette histoire est que nous tous, dans toutes les réalités à l'intérieur de cet univers, avons été passés à la moulinette et que nous ne le voulons plus. Donc, dans un jargon très enfantin, voici l'histoire attachante de la formation de notre univers qui nous explique comment nous tous sommes entrés dans ce chaos. Mais, simpliste ou non, sans cette petite histoire — l'essence de ce que je crois sincèrement être assez objectif —, rien d'autre dans ces pages n'aurait de sens.

Certaines de ces informations sont venues à moi si vite que je ne me souviens pas de tout. J'ai écrit autant et aussi vite que je le pouvais, avec plusieurs sessions, mais j'ai écrit si vite que je ne parvenais pas à relire mes griffonnages. J'ai essayé de noter autant d'information que possible, mais quand on ne parvient pas à relire ce qu'on veut demander, qu'y a-t-il à demander? Bon, allons-y.

Le mouvement du néant

Certains livres ésotériques disent : « [...] le néant s'est contemplé et la création était née. » D'autres disent : « [...] et ainsi a commencé l'indiscernable mouvement du néant. »

Ce que j'ai compris — et s'il vous plaît, ne me laissez pas vous perdre ici —, c'est que le néant, avant que quelque chose existe, était comme un trou noir prêt à s'effondrer sur lui-même. Quand cette chute s'est finalement produite, ce mouvement a produit une friction.

Donc, alors que le néant s'effondrait sur lui-même, il allait et venait, allait et venait, jusqu'à ce que son mouvement crée la friction.

Ensuite, bien sûr, le néant n'avait pas d'endroit où aller, parce qu'il n'y avait pas d' « endroit » comme tel. L'espace n'avait en effet pas encore été créé. (Croyez moi, si ça vous paraît fou, ce le fut pour moi aussi.) Donc, parce que le néant n'avait pas d'endroit où aller, il a continué à aller et venir, aller et venir, comme s'il était retenu d'une façon quelconque par son milieu.

Aller et venir, aller et venir. Il n'y avait pas de pensée, pas d'intelligence selon nos critères, mais quelque chose était bel et bien en train de se produire dans cette non-réalité sans espace et sans temps, car le néant s'arrêta (pendant au moins quelques secondes du temps comme nous le connaissons), puis encore une fois s'effondra sur lui-même.

Alors que le néant se balançait dans des fluctuations microscopiques et infinitésimales de va-et-vient, la friction qui avait été créée causa finalement une étincelle. Mais pas juste une étincelle, deux sortirent du néant.

Au cours de ses balancements d'un côté à l'autre (je ne sais pas comment le décrire autrement), la friction émit la première étincelle. Puis, alors que le néant s'effondrait à nouveau sur lui-même et se balançait de l'autre côté, une autre étincelle fut émise.

Maintenant, voici l'intérêt de toute cette histoire : ce qui est arrivé fut que la première étincelle eut une fréquence et la seconde, une autre, plus élevée. Et si celui que nous appelons Dieu, qui est venu de la seconde fréquence, la plus élevée, sait pourquoi cet étrange événement s'est produit, il ne l'a pas dit.

En tout cas, maintenant nous avons nos deux premières étincelles dans l'Être, la possibilité du début de quelque chose, mais de quoi?

Comme les millénaires passaient, et que plus d'étincelles de différentes fréquences furent issues du néant, les deux premières étincelles commencèrent à développer la conscience de l'autre, des autres étincelles, et même d'elles-mêmes.

Je dois m'arrêter ici et répéter que même si j'ai lu de nombreux livres sur la création, les dimensions, le trou noir originel, la façon dont ça s'est passé, la conception des entités, des Moi, de l'intelligence artificielle, et de ce que nous en avons fait, etc., toutes ces fascinantes informations ne sont pas à l'origine de ma décision d'écrire ce livre.

Cette petite histoire n'est pas seulement la version de la création du genre *Reader's Digest* (qui n'en dirait pas plus), c'est la vérité sous forme romancée pour vous donner les outils nécessaires à la compréhension de ce que vous trouverez dans ce livre. C'est la vérité, mais loin, très loin de la physique déroutante et incompréhensible qui explique la formation de cet univers, dans lequel nous vivons. Très bien, maintenant que c'est dit, continuons.

Les deux première étincelles

Peu à peu, alors que nos deux premières étincelles développaient leur étrange nouvelle conscience de l'autre et de leur entourage, elles devenaient aussi conscientes de leur désir de « plus ». Plus de quoi ? Et bien, je peux seulement parler pour l'une de ces étincelles, car c'est de là que vient mon histoire. Nous ne lui donnerons pas de nom encore, juste Numéro Deux, qui est née de la fréquence la plus élevée du retour du balancier du néant.

Rappelez-vous, il n'y avait pas de Lumière, qui a été créée par la friction, il y avait seulement les ténèbres. Oui, le néant avait fait juste assez de remous pour créer la friction qui fit éclore cette première étincelle de Lumière, puis le néant fit assez de vague pour donner naissance à cette deuxième étincelle plus vive. Jusqu'à ce jour, il n'y en a pas eu de plus vive.

La première étincelle, existant dans sa fréquence inférieure, nous est connue sur terre en tant que Lucifer (et beaucoup d'autres noms), et la seconde, qui avait *la fréquence la plus élevée de toute l'existence*, nous l'appellerons Abraham, bien que ce ne soit pas son vrai nom. Bon, amusons-nous et appelons-la « Abe ». En fait, c'est l'entité que nous, qui sommes à l'intérieur de cet univers, nommons Dieu.

Alors que ces deux étincelles augmentent leur conscience d'elles-mêmes, jouent, essaient et expérimentent pour découvrir ce qu'elles sont, elles s'aperçoivent qu'elles peuvent créer. Lucifer fut le premier à amener de la substance dans leur réalité, et en peu de temps (vous voyez ce que je veux dire), il fabriqua des univers, des endroits où ses autres frères qui sont aussi des étincelles créées par le néant, peuvent pénétrer, jouer et créer aussi. Abe, qui savait qu'il était différent de son frère, ne faisait qu'observer. Et attendre.

Avec le temps — qui n'existait pas — Lucifer n'a pas seulement peuplé les univers avec ses frères, mais a découvert qu'il pouvait créer des doubles de lui-même, des étincelles issues de sa propre étincelle, qu'on appelle parfois des « copies ». Abe n'a pas créé de copies comme son frère l'a fait. Comme ses frères avaient des vibrations plus faibles que lui, il ne pouvait se créer de la « compagnie » qu'à partir de copies. Mais encore là, il observa. Et attendit.

La création était alors en bonne voie, et venait des êtres qui avaient une fréquence inférieure à Abe! Ces entités étaient les étincelles premières-nées du néant et avaient toutes une fréquence inférieure à Abe qui avait la fréquence supérieure absolue, ou elles étaient des copies d'une entité appartenant à ce groupe de fréquence inférieure.

Abe n'avait pas d'amis, pas de compagnons qui étaient de sa fréquence. Il n'avait pas créé de copies et n'avait personne de sa fréquence comme compagnie. Alors, il observait. Et attendait.

Abe observait son frère et toutes les autres étincelles de fréquences inférieures qui étaient nées du néant, et toutes leurs copies (toutes de fréquences inférieures à Abe), commencer à s'amuser à construire de petits univers, tous pareils, tous compatibles avec ce qui avait été créé avant. Et très nombreux.

Le chaos devint le nom de ce jeu. Les univers surgirent de partout, tous peuplés d'entités de basses fréquences. Les univers se développaient si vite avec tous les frères de Lucifer et leurs copies, que leur espace limité — ce qui ne se savait pas alors — devint menaçant (je sais, nous pensions que l'univers n'avait pas de limites. Et bien non!) et Abe ne faisait qu'observer. Et attendre.

Toutes ces nouvelles entités de fréquence inférieure à Abe, à l'intérieur et à l'extérieur de leurs univers, étaient vivantes, mais sans Vie. Soit, elles prenaient soin de l'étincelle divine du néant, l'énergie vibratoire électrique de la force de laquelle elles avaient été créées. Mais aussi, elles n'avaient pas de Vie comme nous la connaissons dans cet univers.

En fait, elles ne se plaignaient pas du manque de Vie, car elles ne soupçonnaient pas son existence. Tout ce qui les inquiétait, c'était de bien faire fonctionner ce que « ce type-ci » avait fait, ou « ce type-là ». Les combats ont éclaté : qui pourrait aller là-bas?... pour combien de temps?... et puis ensuite?... qui trouverait un endroit pour créer le prochain?... de quelle taille?... et puis ensuite?

Ainsi, en dehors d'une nécessité absolue, certaines des plus anciennes étincelles qui étaient nées après Lucifer (pas des copies, mais des originaux nés du néant) durent former un organisme chargé de surveiller et de décider qui pourrait faire quoi dans leur espace limité : qui pourrait construire quoi et dans quelles conditions une nouvelle entreprise pourrait prendre forme. Le groupe fut nommé alors, tout comme il l'est encore aujourd'hui,

« Les Aînés », chaque membre étant de vibration inférieure à Abe.

Notre maison prend forme

Cet univers, c'est-à-dire tout ce que nous voyons à l'extérieur comme les étoiles, les trous noirs, les nébuleuses et autres, ressemble à un gros contenant. Il n'est pas infini et tient en place (bien qu'il continue à s'étendre) par l'entité par laquelle tout a commencé. Mais revenons à notre histoire.

Abe observait ce qui se passait autour de lui avec intérêt, mais sans agir. Il observait ces petits contenants que nous appelons univers, être créés par son frère et les autres, et il observait les étincelles originelles issues du néant faire éclore de plus en plus d'elles-mêmes pour peupler ces univers. Il observait aussi comment Les Aînés approuvaient absolument toutes ces actions.

Abe voyait que tous ces créateurs semblaient faire la même chose, encore et encore. Ils fabriquaient un nouvel univers à partir de la pensée. Puis, une fois leur univers créé, c'était la fin de quelque chose de nouveau. Pas une chose ne se produisait qui ne fut nouvelle, pas même par les nouvelles générations d'étincelles qui étaient créées par les anciennes. Encore et encore, c'était la « même vieille affaire ».

Alors un jour (bien sûr!), Abe décida d'intervenir à son tour. Il voulait voir ce qui pouvait être créé qui ne serait pas seulement différent dans sa conception, mais qui pourrait loger des êtres qui ne seraient jamais satisfaits de seulement créer des étincelles comme eux. Contrairement à son frère, Abe était un explorateur, un chercheur, un découvreur, alors pourquoi est-ce qu'il ne créerait que des choses identiques? Ainsi, qui pouvait savoir ce qui se produirait, ou ce qui serait créé et qui serait réellement sans précédent?

Maintenant, voici où l'histoire se gâte.

Tout ce qui existe, que ce soit des gouttes d'énergie comme elles ont été créées alors, ou des roches comme nous les nommons aujourd'hui, toute chose singulière qui vit produit certains déchets. Donc, après des millénaires à voir que rien de nouveau ne se produisait avec les créations de son frère ou avec celles de la famille de son frère, Abe décida d'essayer quelque chose de différent.

À la longue, en raison du chaos généré par ces milliers de jeunes entités écervelées qui gravitent autour de l'Être, les Aînés se sont inquiétés. Trop de créations trop vite, voilà pourquoi ils décidèrent de prendre des mesures. Leur autorité leur avait été conférée par tout le monde, sauf Abe (qui s'était abstenu), et ils prenaient leur rôle très au sérieux.

Franchement, toute cette question d'approbation des Aînés me semble idiote, car tous les projets étaient au fond les mêmes. Néanmoins, avant que Abe entame son projet sans précédent, il dut obtenir l'approbation de ce nouveau pouvoir. Bien que les Aînés aient trouvé son idée ridicule, ils acceptèrent, à certaines conditions.

Abe voulut cette approbation pour rassembler les nombreux déchets qui commençaient à s'entasser dans l'Être, les mettre dans un endroit où ils seraient recouverts et observés afin de voir ce qui arriverait. Parce que l'espace dans lequel ils vivaient devenait trop étroit, et parce que dans cette étroitesse, les déchets devenaient un problème de taille, Abe obtint immédiatement l'approbation désirée, bien que son idée qui semblait incongrue avait été tournée en ridicule par tous.

Et ainsi naquit notre univers avec ses nombreuses dimensions, réalités et tranches de temps. Mais la vérité est que nous sommes tous issus des déchets des entités qui étaient — chacune d'entre elles — d'une vibration inférieure à Abe, mais néanmoins magnifiques.

Parce que fabriquer des univers était nouveau pour Abe, les Aînés voulurent que son frère l'aide ou du moins, soit impliqué dans ce projet, un peu comme un chien de garde, pour s'assurer que rien n'ait d'incidence négative sur la réalité dans laquelle ils vivaient tous maintenant.

Abe approuva, mais décida tout de même de faire cette expérience à sa façon au mieux qu'il le pouvait, sans en aviser les Aînés ou son frère. Il demanda aux nombreuses copies étincelles, qu'il avait fini par créer pour avoir de la compagnie, de l'aider. Toutes acceptèrent ardemment. Elles savaient que Abe était différent et que son idée ne pouvait que produire quelque chose de jamais exploré et de complètement inconnu. Alors, elles se rallièrent toutes à sa cause.

Contrairement à la façon dont son frère avait simplement « pensé » les univers dans l'existence, Abe créa une petite matrice de la Lumière qu'il était, y inséra les déchets, comme une boîte de Petri pour un scientifique, la ferma et attendit.

Pendant un moment, les Aînés surveillèrent l'expérience de Abe, mais comme le temps s'écoulait et que rien ne se produisait, ils se fatiguèrent de leur surveillance et en chargèrent le frère de Abe. « Aussi longtemps que ça reste enfermé », dirent-ils à Abe et à son frère, « vous pouvez continuer. Mais à la minute où ça échappera à votre contrôle, nous laisserons tomber. »

Le petit rebelle

Tous ceux qui s'étaient impliqués dans le projet savaient que les déchets placés à l'intérieur de la matrice avaient une fréquence inférieure à celle de Abe. Ils s'intéressaient à ce que ce mélange de fréquence supérieure, Abe, et les fréquences inférieures de la plupart des déchets produirait. Durerait-il ? S'évaporerait-il ? Fondrait-il ? Éclaterait-il ? Se mangerait-il lui-même ?

Comme les déchets de vibration inférieure chauffaient au contact de l'intensité de la Lumière vibratoire de Abe, un phénomène biologique se produisit. Des atomes furent formés à partir de la friction de tant de fréquences si différentes.

Puis, finalement, diverses formes de masse — ce qui n'est rien de plus que la Lumière dont la fréquence a diminué — commencèrent à se constituer. Personne n'avait jamais rien vu de tel auparavant. De la substance! Une masse! Surprenant! Des cailloux, qui étaient en réalité des galets de sable microscopiques, apparurent en premier, puis se propagèrent si vite que Abe et son équipe se demandèrent comment ils allaient parvenir à les contenir. D'instinct, ils savaient que ce qui s'était passé dans cette petite matrice était le début de quelque chose d'extraordinaire, mais ils n'avaient aucune idée de ce dont il s'agissait. Ils savaient seulement que de l'espace supplémentaire serait nécessaire pour que cela puisse continuer ou bien tout s'écroulerait.

Il y avait, à cette époque, une nouvelle espèce d'entités qui avaient été créées à partir du néant et dont la plupart ignorait l'existence, sauf Abe. Abe les appelait les « particums de l'espace ». Ils n'étaient que trois dans tout l'Être et ils étaient aussi supérieurement indépendants.

Ces petits particums de l'espace étaient réputés être les créateurs les plus spontanés et puissants de l'existence et Abe en voulait désespérément un pour son projet. Imaginez! Un être qui pourrait faire éclore des idées qui ne seraient basées sur aucune forme connue de l'existence ; la forme ultime de la créativité ! C'était pour Abe. Grands dieux! Si vous pouviez créer un genre de particum d'espace, vous ne seriez jamais aussi embêté que son frère ou les proches de son frère le sont depuis si longtemps.

Abe voulait être comme un particum d'espace, car s'il l'était, alors toutes les limites de la création seraient éliminées. Mais, comme il ne le pouvait pas, tout ce qu'il pouvait faire était d'en attraper un et de l'inviter à participer.

Abe n'en dit que très peu au sujet de son idée farfelue, surtout à son frère. Dans le plus grand secret, ils commencèrent leur recherche de cette étrange entité. Ils cherchaient dans tous les univers existants, dans le vide et allaient abandonner quand... ils en trouvèrent un. Ils avaient trouvé un des trois particums d'espace connus.

Inutile de dire que Abe était aux anges et qu'il intégra rapidement la surprenante petite chose dans son plan un peu fou. Abe dit au particum d'espace que son projet manquait d'espace pour s'étendre et lui demanda son aide. Comme le particum d'espace traînait autour de l'Être sans rien faire, il accepta rapidement de relever le défi pour participer à l'aventure de Abe.

Assez rapidement, le nouvel arrivant comprit qu'il y avait un problème avec la matrice. Si le projet était de survivre, la matrice devait s'étendre et s'étendre vite. Abe pouvait répondre à ses requêtes jusqu'à un certain point, mais pas pour l'extension que le particum d'espace savait nécessaire.

Donc, le particum d'espace prit sur lui de s'étendre, de s'étendre, et de s'étendre encore dans des proportions gigantesques à l'intérieur de la matrice jusqu'à ce que... Bam! Le Big Bang se produisit, pas juste avec les parois de la matrice, mais avec toutes les petites particules qui avaient pris forme à l'intérieur! Le particum d'espace avait tout saturé dans la matrice, ainsi que la matrice elle-même, tout en même temps. Tout s'était étendu, y compris les microscopiques galets.

À la grande surprise de tous ceux qui étaient impliqués dans le processus, le petit particum d'espace avait aussi trouvé de nouvelles formes de vie dont tout le monde ignorait l'existence, y compris Abe. Celles-ci s'étendirent aussi, chacune prenant place dans des dimensions variées, selon la fréquence vibratoire qui les avait engendrées au départ.

L'expansion fut si monumentale qu'elle créa des feux, des gaz, des implosions, des éboulements, des soleils à partir des galets, et... Et bien, vous devez en avoir une idée.

Ainsi naquit le premier, et jusqu'à ce jour, le seul univers jamais créé à partir de la fréquence vibratoire supérieure de l'entité jamais née dans tout l'Être et qui est encore la seule qui nous enveloppe de sa fréquence d'amour vibratoire élevée. Les Aînés ne savaient pas ce qui les avaient frappés, mais le cauchemar — pour eux — avaient commencé.

Cette chose nommée la « Vie »

L'intention d'une expérience originale avait toujours été — et est encore — de créer des êtres avec un libre arbitre, sans tenir compte de leur réalité dimensionnelle ; des êtres qui ne seraient pas juste des clones des étincelles originelles, mais qui désireraient devenir leur propre source créative, des êtres qui désireraient être individualisés, peu importe comment ça se passerait, ou combien de temps ça prendrait.

En travaillant à la réalisation de ce grand objectif, il devint vite évident que toutes les créatures développées dans cette matrice maintenant étendue, avaient quelque chose qu'aucun être dans aucun des autres univers n'avait — un champ électromagnétique. D'où venait-il ? Qu'est-ce qui l'avait causé ? Pourquoi était-ce arrivé ?

La réponse se trouve quelque part dans la friction causée par la fréquence supérieure de Abe avec les fréquences inférieures de la plupart des déchets.

L'entité de fréquence élevée (et supérieure) enveloppa les particules de basse fréquence avec sa vibration élevée de ce que nous pourrions appeler maintenant la Lumière 100 % pure et l'amour éternel, créant une sorte de grand voile que nous en sommes venus à nommer Esprit, autour des formes de vie qui se développaient.

Prenez les étincelles de vie créées à partir des déchets qui, bien que de fréquence souvent basses, étaient néanmoins divines, intelligentes et conscientes, et mélangez-les toutes avec la fréquence vibratoire élevée du créateur de la matrice, Abe. Vous obtiendrez quelque chose d'absolument unique dans toute l'existence. La Vie ! La Vie actuelle, jamais connue auparavant dans tout l'Être.

Peu à peu, de plus en plus de membres de l'équipe de Abe émirent leurs propres étincelles de vie, leurs copies, dans cette nouvelle matrice extraordinaire, pour créer des espèces d'entités totalement nouvelles. Ces entités ont peut-être été formées à l'origine par les propriétés des basses fréquences, mais elles émergeaient maintenant avec les étincelles de vie de vibration supérieure dans tout l'Être. Et chacune d'elles a eu ce voile vibratoire élevé mystérieux que nous nommons maintenant Esprit.

Pauvre Lucifer! Qu'elles soient dans des corps de lumière ou dans des masses plus solides comme nous aujourd'hui, les nouvelles entités qui ont continué à naître dans cette matrice le déroutaient. Elles étaient inégalées et inouïes, car elles pouvaient penser par elles-mêmes, créer par elles-mêmes à l'intérieur de leurs limites dimensionnelles, devenir qui ou ce qu'elles voulaient être, et ne jamais cesser d'exister, ce qui fait partie de ce que nous appelons maintenant la Vie avec un V majuscule. Pas juste le fait de vivre, mais la Vie.

Le frère de Abe observait et voulait désespérément ce que Abe créait. En fait, tous Les Autres voulaient participer à ce qui se produisait à l'intérieur de cet univers. Ils devinrent très jaloux de ce qui s'y formait et se jurèrent de tout faire pour obtenir ces mystères qui n'avaient jamais été vus en dehors de la création de Abe...

Comme notre univers a continué à s'étendre — grâce à la grande vigilance du petit particum d'espace — dans davantage de réalités magnifiques et inouïes avec la création de formes de Vie magnifiques sur des planètes innombrables, dans des mondes variés, Les Autres, ces entités de basse fréquence que nous nommons maintenant « ténèbres » qui vivaient à l'extérieur de notre univers, ont décidé de prendre les choses en main.

Le grand frère de Abe devint obsédé par l'idée d'avoir le rayonnement et l'originalité de ce que son petit frère avait créé sciemment ou inconsciemment : les entités de

Vie qui pouvaient penser par elles-mêmes et se débrouiller par elles-mêmes, les entités de Vie qui vivaient dans les diverses réalités de leur choix, les entités de Vie qui ne cessaient jamais d'exister, les entités de Vie qui évoluaient passionnément dans la fréquence élevée d'un amour pur, qui était la marque du fabricant de la matrice dans laquelle elles vivaient.

Personne dans tout l'univers n'avait réfléchi à la façon d'utiliser les restes de basse fréquence desquels ils avaient surgi. Personne. Jamais.

Mais le bon vieux grand frère était devenu une force sur laquelle il fallait compter. Celui que nous nommons Lucifer, même s'il était une entité divine puissante, était embêté et commençait à faire des siennes. Il était fâché, avide et énormément puissant.

Lucifer voulait cette chose nommée Vie pour toute la famille d'étincelles qu'il avait engendrées... et leur famille... et leur famille... Et la seule façon dont il pensait pouvoir le faire était d'infiltrer l'univers de Abe, en essayant de renverser sa domination actuelle. Après tout, n'était-il pas Lucifer, le « chien de garde » de cette expérience convoitée?

Les complots du grand frère

C'est alors que la guerre dont nous avons tant parlé, la guerre entre la Lumière et les ténèbres, a commencé. Oui, cette même guerre a atteint aujourd'hui des proportions gigantesques, mais elle a commencé il y a très, très longtemps, quand notre univers était encore bébé. Au départ, ça a commencé plutôt doucement. Il aura fallu quelques milliards d'années pour que des choses se réalisent, mais ce n'était rien dans le cadre de l'absence de temps d'une bande de dieux âgés et ennuyeux venant de l' « extérieur ».

Le plan de Lucifer a évolué. Rapidement, ses troupes et lui placèrent certaines de leurs espèces dans la matrice en extension, mais Lucifer, lui-même, en était exclu. Les Aînés étaient devenus si fascinés par cette « chose » nouvelle en expansion que Abe avait créée, qu'ils acceptèrent de répondre à la requête de Abe de supprimer le rôle de « chien de garde » de Lucifer. Les Aînés surveilleraient eux-mêmes cette chose, voilà tout.

Donc, c'était la famille de son frère qui y avait pénétré, pas Lucifer lui-même. Peu importe. Lucifer pensait, qu'il lui soit permis d'y aller ou non, qu'il surveillerait et contrôlerait le conflit qui allait se produire grâce à « ses hommes » qui avaient infiltré l'univers de Abe. Il avait compris que la matrice s'étendrait si rapidement que les étincelles issues de sa famille qui entreraient se feraient rapidement oublier. En fait, il avait pensé qu'elles pourraient aider à accomplir l'expansion en cours en créant de nouvelles réalités pour que davantage d'étincelles puissent entrer.

Abe savait que les étincelles de l'« extérieur » rentreraient en grand nombre, mais pendant quelque temps du moins, il pensa que tout allait bien. Après tout, ce qui avait été créé dans cette matrice venait pour la plupart des vibrations inférieures, alors que pourrait-il se passer de mal ?

Tout en calculant les quantités requises pour faire passer la haute vibration actuelle de Lumière à une fréquence inférieure qu'il pourrait contrôler, Lucifer organisa un brillant complot pour que ses troupes se mêlent à ceux qui étaient dans cette chose que l'on nommait l' « Esprit », qui entourait chaque être à l'intérieur de la matrice, peu importe la réalité.

Le plan était que Les Autres attireraient ceux de tous les mondes qui avaient quitté leur corps pour une nouvelle expérience (que nous appellerions la mort) en leur faisant croire qu'ils pourraient satisfaire plus rapidement leur désir de devenir comme leur créateur en permettant à ces êtres « spéciaux » (les copains de Lucifer) de les guider dans leur nouvelle incarnation. Or, tout comme maintenant, aucun être dans tout l'univers ne pouvait incarner quelqu'un qui n'avait pas d'équipe pour l'aider. Mais ce n'était qu'un début pour le brillant frère de Abe.

Ensuite, Lucifer enverrait certains de ses proches dans la matrice, déguisés en étincelles originelles qui avaient émané de Abe. Ils seraient en mesure de tromper les habitants de toutes ces réalités qui penseraient que eux — les Autres — seraient les copies originales de Abe, offrant leurs services comme guides aux entités de toutes les réalités. Grâce à sa stratégie, Lucifer savait que son équipe gagnerait en suprématie sur presque chaque être incarné dans l'univers de Abe.

Puis, enfin, ils infiltreraient les entités, ou les minuscules parties d'entités, qui avaient toujours composé la conscience des êtres de cet univers, soit à partir des Pléiades dans un corps de Lumière ou d'une des Terres dans un corps solide. (Il existe trois dimensions de la planète Terre : la nôtre est la troisième dimension, une autre est la cinquième et une autre, la septième.)

Si Lucifer pouvait infiltrer chacune de ces zones de l'existence, alors il pourrait contrôler et finalement trouver les moyens de donner à son propre peuple cette nouvelle chose précieuse nommée la Vie.

En vérité, tous les êtres dans cet univers cherchaient à être Incontrôlés, mais si le frère de Abe réussissait, la Vie éternelle à l'extérieur de cette existence deviendrait une réalité pour tous ses habitants.

En changeant leur conscience, leur guidance, et l'entité essentielle de ces êtres qui sont en train de proliférer si abondamment et ardemment dans cette détestable nouvelle matrice, « le contrôle de l'Être sera mien à nouveau ». Ceci devint le mantra de Lucifer, pour lequel il se donnera beaucoup de mal.

Élire domicile

Graduellement et soigneusement, pour ne pas causer de rupture, de plus en plus d'entités de basse fréquence issues de l'extérieur ont commencé à élire résidence dans cet univers de Vie. Si elles trouvaient le moyen de se fondre à différentes réalités, alors elles pourraient aussi trouver le moyen de se fondre dans la vie des êtres à l'intérieur de différentes réalités. Une fois que ce serait fait, elles pourraient sûrement déchiffrer les secrets de cette Vie et découvrir comment la développer pour eux-mêmes.

Le moment vint où la présence des Autres dans notre univers devint trop grande pour ceux de la Lumière de fréquence élevée. Ils avaient même fondé leurs propres réalités que nous pourrions appeler des systèmes stellaires.

Les Autres furent déterminés à avoir cet endroit pour eux-mêmes, mais peu importe combien ils en infiltreraient, ou s'ils devraient créer leurs propres endroits dans l'existence, le moyen de survivre dans cette matrice en extension de Lumière de haute fréquence était déroutant, et ils commençaient à accepter le fait que, s'ils voulaient cette Vie pour eux-mêmes, dans leurs propres mondes, ils devraient trouver un moyen de maintenir cette Vie à l'extérieur de cet univers. Ils n'abandonneraient pas jusqu'à ce qu'ils trouvent la réponse. Ils n'abandonneraient pas.

Des manœuvres oh combien extraordinaires

D'innombrables années d'étude plus tard, Les Autres travaillaient sans relâche pour trouver des moyens de façonner un être de Vie pour eux-mêmes. Ils combinaient ce qui semblait être des moyens inoffensifs pour infiltrer les systèmes de réalité dans notre univers. Ils tentèrent tous les moyens de clonage dans des centaines de réalités différentes, dans de vaines tentatives pour se recréer avec un Esprit, ou une âme, quand l'évidence soutenait le fait qu'un être cloné ne pourrait jamais, jamais avoir un Esprit ou une âme, c'est-à-dire la Vie. Et ce n'est toujours pas possible.

(Quand l'humain découvrira la face cachée de la Lune, il sera sidéré par les expériences qui y ont lieu pour recréer nos espèces avec des âmes. Ce n'est pas super, et bien sûr, ça n'est pas à la veille d'arriver.)

Finalement, Les Autres décidèrent que la troisième dimension où se trouvent les créatures humaines serait la réalité la plus facile où pénétrer. Pour commencer, le corps humain était une création différente de tout dans l'ensemble de l'univers, car chacun contient le secret de l'existence depuis la première étincelle issue du néant.

En plus, le système de guide humain était assez facile à pénétrer, car l'humain a besoin d'un minimum de trois guides du monde occulte pour s'incarner (plus que de nombreuses réalités). Tout ce qu'ils avaient à faire était de devenir amis avec un humain pendant une vie en particulier, ou deux ou trois, puis d'offrir leur guidan- ce « attentionnée » à cet être pour sa prochaine incarnation, et voilà! Ils y étaient.

Les Autres trouvèrent le moyen d'accéder à la conscience humaine pour influencer ses décisions dans la vie. C'était essentiel!

Puis, ils réussirent à devenir complètement humains, avec ce que nous appelons le « Moi supérieur » issu directement d'eux-mêmes. Ça aussi, c'était essentiel, même s'ils ne pouvaient pas mener l'humain, c'est-à-dire son âme, à l'extérieur de notre univers.

En fait, presque chaque jour (ce qui n'existait pas pour eux), Les Autres tentaient de nouveaux moyens d'influencer cette espèce, pour la contrôler et la renverser pour leur propre bénéfice.

Ils furent de plus en plus nombreux à s'incarner directement dans des corps humains. L'humain était l'endroit où tout se produisait. Il était l'espèce la plus facile et la plus prometteuse parmi celles qu'ils pouvaient contrôler. Assurément, l'humain était l'espèce qui leur montrerait enfin comment avoir la Vie.

Bien sûr, Les Autres n'avaient pas prévu que ceux de leur propre espèce incarnés dans le corps humain voudraient y rester. Ce fut un vrai « Oups! ».

Ils n'avaient pas prévu les défections, or c'est arrivé.

Ils n'avaient pas prévu les désertions de leurs propres réalités en raison du grand plaisir des fréquences élevées de la Vie, une fois dans un corps humain ou ailleurs. Oui, c'était là le problème, mais ils le surmonteraient avec une attention accrue.

Maintenant, se concentrer sur l'humain devenait une obsession pour Les Autres. Assurément, c'était la créature qui leur permettrait enfin d'assouvir leur désir de Vie.

Assurément, c'était la créature qui les conduirait au pouvoir suprême à travers tout l'univers.

En effet, du fait que cet être humain, qui avait surtout été créé à partir de leurs propres basses fréquences, mais qui était maintenant mélangé avec la Lumière de Vie, leur offrait assurément d'assouvir leur désir de Vie, leur intérêt pour la réalité de notre troisième dimension devint obsessif. Et c'est encore le cas.

Sauf pour ceux qui ont choisi autre chose.

Chapitre quatre

La naissance et le marché

Des données avaient été téléchargées en moi plus vite que je ne pouvais les vérifier avec mon balancier dans lequel j'avais retrouvé confiance. Je venais juste de traverser la deuxième période de trois ans qui avait été si difficile et... Et bien, c'est tout pour le moment. Les souffrances étaient finies. Maintenant, mes chers amis, elles se retrouvent dans ce livre avec des idées entièrement nouvelles, sinon ce serait inutile.

L'information, avec des détails étonnants, fut diffusée en moi plus vite que je ne pouvais la noter pour la vérifier avec mon balancier. Mais je parvenais à vérifier la plupart des choses que j'avais écrites. D'autres n'étaient pas assez claires, car mon balancier me disait : « Non, ce n'est pas tout à fait ce que nous voulions dire... essaie-le de cette façon. Oui, oui, c'est ça. »

J'ai toujours été fascinée par nos origines et me suis toujours demandé pourquoi, au nom du ciel, nous, la race humaine, continuions à vivre autant de confusion. Mon Dieu, n'en avions-nous pas vu assez pour adopter de profonds changements ? Je savais fort bien que nous en *avions* assez vu, mais pourquoi est-ce que ça ne changeait pas ?

Quand l'histoire des Autres m'a été dévoilée, les raisons pour lesquelles moi et l'humanité n'avions pas fait les changements dont nous avions désespérément besoin, me sont devenues claires. Et j'ai aussi compris que nous avions un combat à mener, pas seulement pour la race humaine, mais pour tout l'univers.

« Bon OK, est-ce cette soi-disant naissance qui va nous faire changer ? Pour de vrai ? »

La réponse fut un « oui » clair et net. Et c'est ainsi que commença pour moi, « La Naissance ».

De quoi s'agit-il ?

Cette naissance que nous allons connaître porte différents noms selon les religions, mais elle concerne ici Abe, qui en a eu assez des Autres, car ils n'avaient de cesse de perturber sa création. Alors, son équipe et lui tramèrent un plan il y a très, très longtemps, et dirent aux Autres :

« Très bien, frères du néant et frères de ces frères, vous vous êtes bien amusés, maintenant ça suffit. Soit vous décidez de vous intégrer pleinement dans la Lumière, c'est-à-dire que vous abandonnez complètement les basses fréquences desquelles vous êtes nés, soit vous fichez le camp pour toujours. »

Le plan de Abe était progressif et très soigneusement construit. Il créerait dans l'univers une gigantesque vague d'énergie d'une fréquence si élevée que sa force, alors qu'elle ferait tranquillement son chemin à travers tout l'univers, en maîtriserait beaucoup, en tuerait beaucoup, et en forcerait beaucoup plus encore à quitter l'univers.

La vague, qui n'était pas vraiment une vague, mais une nouvelle entité, fut nommée Psi.

Et bien oui, c'était une entité vivante tout à fait réelle, très dynamique et énormément puissante qui devait balayer l'univers avec sa haute fréquence. Mais elle avait aussi une intelligence supérieure. J'ai parlé juste une fois avec cette entité, expérience que je n'oublierai jamais, jamais. Pas même Abe, qui avait créé l'entité au départ, ne semblait posséder l'influence et l'intensité de l'autorité de cet être (et pourtant, il en avait !). J'en tremble encore quand je repense à ce bref échange que nous avons eu.

Il y a deux cents ans, quand Psi commença son voyage dans l'univers, elle augmenta les fréquences, fit des ravages et nettoya tout sur son passage.

Certaines réalités furent beaucoup moins affectées que d'autres en raison des fréquences dimensionnelles déjà élevées dans lesquelles elles vivaient. Mais toutes les réalités, dans toutes les dimensions, ont été énergiquement secouées parce que toutes avaient été infiltrées par Les Autres dont la gamme de fréquences était loin de la vague agressive de Psi qui balayait maintenant leur patrie.

Abe nommait l'époque qui venait après ce grand nettoyage, « La Naissance ». Franchement, j'aurais plutôt penché pour « La Préparation », ou « Opération

Attaque », quelque chose avec un peu plus de tonus, à la général Patton. Mais ce fut « La Naissance ».

Ainsi, les plans de cette grande offensive étaient le résultat des études des siècles passés, et devinrent une exécution totale. Tous ceux qui étaient impliqués savaient que ce serait très brutal. Abe se situait, après tout, quelque part autour de la 50e dimension. La dimension la plus élevée jusqu'ici qui avait maintenu la Vie dans notre univers était près de la 12e dimension. Le frère de Abe était aux environs de la 45e dimension. Psi était programmée pour être une entité autour de la 15e dimension.

Et puis, il y avait nous.

Mais, à présent, l'infiltration par Les Autres avait causé des problèmes à cet univers. Même les Aînés, qui contrôlaient et géraient encore tant d'événements dans notre nouvel univers, savaient qu'ils avaient des ennuis. Mais comme ils étaient tous membres des Autres, ils firent de leur mieux pour faire concorder ce que leurs frères des fréquences inférieures voulaient obtenir, avec ce que eux — les Aînés — considéraient comme étant un juste retour des choses, soit qu'ils gardent leur position de pouvoir.

Peu importe, Psi était maintenant en route. Son voyage l'emmènerait vers toutes les variations de l'espace dimensionnel dans l'univers. Parfaitement organisée, Psi commença au sommet de notre univers, puis, toujours de façon très soignée et méticuleuse, glissa vers l'endroit où elle est aujourd'hui, passant par la galaxie de la Voie Lactée, notre système solaire, et inondant maintenant notre terre.

Nous sommes peut-être les derniers, mais nous avons sans doute subi le pire, simplement à cause de nos basses fréquences.

Dernier sur la liste

Bien que Psi ait, à ce jour, fait sentir sa présence dans tout notre univers, parlons de nous, l'espèce de la troisième dimension connue en tant qu'humains que Les Autres aimeraient tant contrôler et cloner, et sur qui Psi concentre maintenant toute son énergie.

Depuis combien de temps l'être humain n'a-t-il pas ressenti une grande joie de façon continue ?

Depuis combien de temps la majorité des humains n'ont-ils pas ressenti une volonté de vivre, ou un amour tenace de la vie ?

Depuis combien de temps l'humain n'a-t-il pas ressenti qu'il était là, sur cette planète, pour avoir du plaisir — pas des soucis —, du bon temps et de la joie de vivre ?

A-t-il déjà ressenti tout cela ? Malheureusement non. Alors, que s'est-il passé ? Qu'est-ce qui n'a pas marché au départ ?

La sinistre mais excitante vérité, c'est que notre vieille petite espèce, l'humain, avait un potentiel supérieur à toutes les autres dans l'univers, pour devenir la plus grande race jamais connue depuis le commencement de la création, ayant dans son être la connaissance de chaque

événement de l'existence depuis et avant le commencement du temps.

Hello ! Est-ce que c'est une blague ? Prenez une pilule
ou calmez-vous. Ça ne peut pas être vrai. Nous ? Les
pauvres petits êtres humains que nous sommes ? Comme
moi ? Vous voulez rire !

Non. Ce n'est pas une plaisanterie. C'est une vérité
universelle que nous sommes ce qui nous a formés. Mais
nous devons mettre tout ce que nous possédons dans cette
naissance, ou nous attendrons (êtes-vous prêt pour ça ?)
encore 35 millions d'années avec 35 millions de zéros
derrière pour qu'un tel événement se produise à nouveau.

Je ne sais pas vous, mais j'en ai déjà assez et je n'ai pas
l'intention d'attendre encore pour ressentir le plaisir qui
se fait attendre depuis si longtemps.

Oh, ma chère petite !

Il faut que je vous dise certaines choses pour que vous
ne me trouviez pas trop bizarre. Sincèrement, il y a
quelques années, si quelqu'un m'avait approchée avec les
choses dont je parle maintenant, je lui aurais dit de passer
son chemin.

La religion a eu peu d'impact sur moi (malgré ma
croix en or qui rappelle mes sept ans passés dans le chœur
de l'Église épiscopale). Bien sûr, il existait probablement
une force quelconque, et alors ? Si ça existait, ça existait,

voilà tout. Si ça n'existait pas, ça n'existait pas, voilà tout. Et alors ?

Ensuite, quelque chose se produisit en moi. J'ai voulu davantage de réponses sur Ce que et Qui j'étais, et je les voulais maintenant. C'était comme si j'étais sens dessus dessous. J'étais différente. Je me sentais différente. J'avais encore ma compagnie de courtage. Je pestais contre les gens incompétents et non professionnels. Mais quelque chose était différent.

Tout ce que je dis, c'est que, hey, je ne suis pas différente de vous.

J'ai été alcoolique et parmi les Alcooliques Anonymes.

J'ai été jusqu'à manger de la nourriture pour chiens.

J'ai à la fois détesté et adoré mes parents et d'autres membres de ma famille.

J'ai créé des compagnies qui ont subi de terribles échecs, alors que d'autres ont été des succès.

Je crois que j'ai tout vécu, sauf peut-être avoir des enfants. Il y a peu de hauts et de bas qui me sont étrangers. Vraiment très peu !

Reprenons. Me voici donc maintenant en train de parler de la création, des bonnes et des mauvaises personnes, des fréquences vibratoires, d'« écouter » les pensées que certains appellent *channelling*... Et en plus, voilà que je dis avoir obtenu tout ça du gars qui a créé cet univers et que je vous parle des problèmes que vit notre espèce, et que... Mon Dieu, qu'est-ce que je raconte ?

Ce n'est sûrement pas l'ancienne « moi » que je connais depuis si longtemps. Ce n'est pas la petite Grabhorn avec ses tresses, qui aimait jouer aux cow-boys et aux Indiens, ou glisser dans les rues enneigées, ou encore traîner et sentir les doux parfums de l'automne, mais plutôt un nouveau « moi » avec des doutes. Et bien oui, pourtant, je suis la même.

Je suis juste un être humain qui a traversé les épreuves habituelles de la vie, puis qui, pour une raison quelconque, s'est trouvé impliquée dans beaucoup plus grand, avec une sorte de « message » à livrer.

« Sacre-bleu ! », me suis-je dit. « Si ça peut nous aider à mettre fin à ce chaos et vite, alors fonce et dis-le. On se fiche de ce que les gens pensent. »

Donc, peu importe quel genre d'idiote vous pensez que je suis, je vais vous le dire comme on me l'a dit.

Cette fameuse « Naissance »

Vous pouvez l'appeler comme vous voudrez (comme beaucoup de religions le font), mais sachez qu'un changement plutôt révolutionnaire va se produire non seulement dans notre réalité, mais dans tout l'univers. Il se nomme « La Naissance ».

Abe et son équipe devaient découvrir une façon de débarrasser sa stupéfiante création des êtres avides qui faisaient tout ce qu'ils pouvaient pour aspirer la Vie à l'extérieur de son univers. Il avait ouvertement autorisé leur participation au début, sans avoir pleinement conscience des conséquences. En fait, il n'avait pas eu le choix.

Eux, Les Autres, avaient tenté sans succès de cloner les êtres avec l'Esprit de toutes les réalités, depuis que cet univers était né. Et ils continuent.

Eux, Les Autres, avaient pris des parties des êtres de chaque réalité pour faire des expériences, et ils continuent.

Eux, Les Autres, étaient devenus des guides pour s'incarner dans de nombreuses réalités, et ils continuent.

Eux, Les Autres, étaient devenus la conscience dominante des êtres, et ils continuent.

Eux, Les Autres, avaient trouvé des moyens de tempérer toutes les fréquences de joie pour abaisser la fréquence de l'être incarné et la rapprocher de la leur, rendant ainsi la vie de cet être incarné misérable, et ils continuent.

Eux, Les Autres, avaient trouvé des moyens de diriger les esprits des êtres incarnés dans presque toutes les réalités (certaines réalités avaient vaincu cette domination), et ils continuent.

Eux, Les Autres, avaient trouvé des moyens de se fondre dans toutes les réalités à travers tout cet univers, et ils continuent, particulièrement dans la nôtre.

Ainsi Abe — celui que la plupart d'entre nous appelons Dieu — et ses troupes dévouées commencèrent à tramer un plan pour ébranler la domination croissante des Autres. D'abord, il faut savoir qu'un vaste groupe d'entités provenant de l'intérieur de cette matrice auraient dû *vouloir* choisir la Vie. Il aurait dû y avoir un moyen d'insuffler dans toutes les réalités la prise de conscience qu'il y avait de l'espoir au-delà de l'endroit où ils se trouvaient dans leur Maintenant actuel.

Mais, parlons simplement de nous, les humains, où toute l'attention se porte, parce que nous ne détenons pas seulement le secret de la Vie, comme le font les entités dans toutes les réalités de cet univers, mais nous détenons aussi dans nos corps la totalité de tout ce qui est, qui a été et qui sera dans notre univers.

La « Naissance »

Donc, qu'est-ce exactement que cette chose, « La Naissance » ? Qu'est-ce qu'elle va accomplir et comment ?

Quand est-ce que ça va se passer ?

À quoi ça ressemblera ?

Qui saura que c'est arrivé, ou que ça arrive ?

Et que sera ce résultat censé être grandiose ?

Comment, sur terre, puis-je décrire ce qu'on m'a dit ?

Un nouveau monde (terre) ?

Une nouvelle dimension ?

Un nouveau type d'humains ? Mais, bien sûr, racontez-moi...

Comment puis-je décrire ce que nous devons faire pour provoquer cet événement ? Et bien, tout ce que je peux faire, c'est ce que mon père avait l'habitude de dire : « Hisse le drapeau en haut du poteau, chérie, et regarde qui salue ! » OK, papa, j'y vais.

Ces paragraphes que j'ai écrits récapitulent l'événement prévu ainsi que tout ce que je pourrais écrire d'autre :

« Les prophètes, les voyants, même les auteurs bibliques ont prédit ce moment depuis longtemps. Selon leurs interprétations, qui comportent parfois des révélations sur les horreurs de l'apocalypse, parfois des visions de la fin des temps, parfois des prophéties d'une extase allant au-delà de l'imagination, il apparaissait que l'humanité allait subir des changements inimaginables.

« Tandis que ces voyants se rapprochaient dans leurs prédictions, aucun n'a réellement trouvé, car aucune de ces âmes visionnaires n'a saisi le Pourquoi de ce moment, ou comment la physique ferait — ou non — que cet événement devienne réalité.

« Est-ce que ça marcherait ? Est-ce que des siècles de planification et de manœuvres seraient récompensés ? Est-ce que l'humanité renaîtrait dans une nouvelle réalité et une nouvelle espèce de divinité ?

« L'appel est lancé et chacun d'entre nous sur cette planète a reçu cet appel. Le voici. Le moment est venu. C'est soit vous savez quoi, soit vous laissez tomber, ce qui en termes divins, se traduit par quelque chose comme : "nous obtiendrons mieux en agissant ensemble ou nous serons laissés derrière". »

Comme actuellement, nous semblons tous être des humains, ne nous inquiétons pas du reste de l'univers ; restons concentrés sur nous, ici. Que les autres, à l'extérieur d'ici, le fassent aussi ou non, ça les regarde.

Cette naissance qui arrive — probablement quelque part avant 2012 — va nous pousser dans une autre dimension. En fait, pas nous tous, parce que bon nombre d'entre nous continuerons à vivre dans la peur et les souffrances, sans réaliser qu'il y a, à la place, une issue, ce qui est le sujet de ce livre.

Cette naissance est tout ce que Les Autres veulent éviter, car cela signifiera qu'ils ont perdu leur bataille pour la Vie. Oh, pas tous, mais la majorité ne seront pas capables de participer, car leurs fréquences seront encore plus mal assorties que maintenant.

Cette naissance agira comme un système de filtre sur les gens, notamment par rapport à ceux qui continueront à agir selon Les Autres. D'ailleurs, ces personnes qui seront laissées derrière, ne seront pas très aimées du monde où elles vivent après que cette naissance aura lieu.

D'un autre côté, ceux qui auront eu l'initiative de flanquer ces ventouses (et ce n'est pas qu'un jeu de mots) hors de leur vie pour de bon, se trouveront mieux au milieu de toute l'agitation qui nous entoure maintenant.

Cette naissance s'annonce comme si tout un groupe de gens allaient mourir. Mais comme ça ne peut pas arriver dans cet univers (la mort des humains est juste une illusion... et l'a toujours été), le fait est qu'ils « tomberont » dans une nouvelle dimension de la terre qui existe déjà.

La naissance concerne un nouvel univers, qui échappe au contrôle des Autres.

La Planète Deux

Le but de la naissance est de créer des moyens de se débarrasser des Autres, pour toujours. Ils veulent si désespérément ce que nous avons qu'ils font tout ce qui est en leur pouvoir, dès maintenant, pour anéantir cet événement qui créera pendant des centaines de milliers d'années un nouveau monde, une nouvelle sorte de Vie, une nouvelle réalité de beauté et de joie. C'est bien ça, de beauté et de joie, je ne sais pas comment le dire autrement (même si je ne suis pas tout à fait sûre de ce que ça signifie).

Dans les années à venir, après l'événement initial, davantage d'entités qui ont choisi la Lumière viendront, puis plus encore... Si vous ne vous dépêchez pas de partir d'ici quand cette chose se passera, ne vous inquiétez pas. Vous pourrez le faire plus tard, ce que je vous recommande fortement.

Tout ça n'est-il qu'un rêve rempli d'espoir ?

La vie... comme nous aimerions qu'elle soit ?

Des rêves qui se réaliseront plus facilement ?

Les difficultés et les conflits qui deviendront une chose du passé ?

Une santé débordante ?

Un monde des affaires et du travail qui profitera à tous ?

Non, ce n'est pas juste un rêve rempli d'espoir. D'ailleurs, les scientifiques connaissent déjà l'existence d'une autre planète Terre dans la sixième dimension. C'est ce que j'appelle la Planète Deux.

Actuellement, il y a quelque part près de vingt millions d'humains qui vont et viennent dans des vies par choix.

(Pouvez-vous imaginer la terre avec seulement vingt millions de personnes ?) Et cette terre est comme la nôtre, mais propre.

Oui, il y a encore des églises, du moins un peu. Et il y a des voitures, des avions, des trains, des écoles et des universités, des cinémas, des théâtres, des opéras, des restaurants, des événements sportifs (désolée, pas de football), et la plupart des choses que nous apprécions ici. Même quelques centres commerciaux.

Ce qu'il N'y a PAS, toutefois, ce sont des gens manipulés par Les Autres. Donc, le libre arbitre que nous devions avoir lors de notre conception est une vérité absolue sur la Planète Deux, un fait accepté, pas juste quelque chose d'utopique que nous lisons dans des livres de croissance personnelle.

Les gens de la Planète Deux aiment vraiment leur vie. Ils chérissent leur créativité, ne connaissent plus de sentiment d'isolement ou de solitude, et peut-être encore plus important, ils vivent sans guerres, famines, ou atrocités.

Les gens de la Planète Deux ne sont plus harcelés par les émotions de basses vibrations, qui s'acharnent actuellement sur nous à cause des Autres. Les émotions comme la peur, la colère, la dépression et le ressentiment, sont toutes (et à tort) intégrées en nous en raison de la croyance qu'elles font partie intégrante de la condition humaine. C'est ridicule !

Je ne veux pas avoir l'air d'un de ces hippies des années soixante qui glorifient tout ce qui est « peace and love ». Les humains auront toujours besoin de défis, simplement pour continuer à grandir et à évoluer. Mais franchement, le côté « peace and love » est très proche de ce que nous vivrons tous sur la terre de la sixième dimension, étant donné que nous aurons rejeté nos fausses croyances actuelles !

Oh, de cette façon, nous aurons encore de l'argent, mais ce ne sera plus un symbole de succès, juste une manifestation d'énergie et un moyen d'échange et de partage.

Il n'y aura pas de salaires comme maintenant, car le rôle et la contribution de chacun dans la société seront importants et loués.

La salle de bal ou le bar

Parfois, je ris des analogies que je fais, que ce soit des images ou des pensées, ou les deux. Celle-ci est surprenante.

Quand j'ai demandé ce que serait la différence dans les années suivant la naissance entre la Planète Deux et celle où nous sommes maintenant, on m'a clairement montré une magnifique salle de bal remplie de gens joyeux, de serveurs avenants, de belle musique et de danseurs comme on les imagine.

« Je suppose que c'est la Planète Deux ? »

« Oui. »

Puis vint l'image d'un bar sale et glauque, digne des vieux westerns, avec des types ivres soudés au comptoir, des bagarres, et bien sûr, le barman debout, nonchalant, en train d'essuyer ses verres de bière.

« Voyons », j'ai dit. « Vous me dites que c'est censé être ce que deviendra notre planète sur laquelle nous nous trouvons maintenant, après la naissance ? »

« Oui, c'est bien ça. »

Et bien, ça m'a permis d'arrêter un moment de me poser des questions, tout en ayant hâte de connaître le reste de l'histoire, car j'étais fascinée.

Après la naissance, Les Autres seront en mesure d'avoir le plein contrôle sur notre planète actuelle, presque comme ils le font maintenant, mais avec beaucoup moins de résistance.

Il n'y aura plus de professeurs cosmiques et très peu de professeurs humains de la Lumière.

Il y aura très peu de livres publiés pour promouvoir le bien-être et encore moins de religions honnêtes vers lesquelles se tourner.

La corruption sera partout, des gouvernements jusqu'aux autorités locales. J'ai le sentiment que si nous trouvons que ça va mal maintenant, ce n'est que la pointe de l'iceberg.

Pour ceux qui se battent sincèrement pour se libérer des chaînes de ces basses fréquences, s'ils peuvent le faire ensemble assez longtemps pour trouver ne serait-ce que quelques instants de joie quotidiens, ils y seront parvenus, qu'ils continuent ce livre ou non. Je suis heureuse de dire que des millions de personnes se sauveront de l'environnement de cette troisième dimension, longtemps après la naissance.

Ceci dit, merci bien, mais je préfère la salle de bal, et ne pas avoir à me battre dans un bar glauque.

La salle de bal

La Planète Deux sera un nouveau monde, à l'intérieur d'un nouvel univers, où nous n'aurons pas à subir toutes les horreurs que nous avons déjà subies. À la place, nous vivrons simplement les possibilités, les désirs, les joies, les vrais plaisirs, les enchantements, les satisfactions, les passions de la créativité... tout ça, sans lutter.

Nous ne nous sentirons plus jamais seuls. Nous ne nous sentirons plus jamais séparés DE, coupé de ou isolé de à nouveau. Nous connaîtrons nos origines. Nous sentirons, saurons et serons capables de vivre la Lumière et l'amour que nous sommes en réalité. Nous réaliserons notre unité avec toutes les choses, tout en conservant notre individualité.

Sur la Planète Deux, ce sera comme de longues vacances, avec des défis appropriés. Dieu sait que nous l'avons mérité. Nous connaîtrons la Vie pure, comme Abe voulait qu'elle soit, sans y être encore parvenu. Maintenant, nous allons l'avoir !

Quand la naissance se produira, non seulement nous « génèrerons » un nouvel univers, mais nous, les humains, auront façonné une toute nouvelle espèce : une nouvelle race, jamais vue auparavant, jamais présente dans l'existence auparavant.

Or, cette nouvelle race ne sera pas réunie avec notre Source, ou avec notre entité principale. En effet, sur la Planète Deux, notre but en tant qu'humains sera de devenir notre propre Source. On l'appelle « Le Dieu/l'Homme réalisé ». Le plan d'Abe, enfin réalisé !

Nous, c'est-à-dire nous dans ce nouvel univers, serons les premiers êtres à avoir traversé la totalité du processus de la naissance, et nous ne l'aurons pas que ressentie, nous serons devenus l'amour de ce que le néant a créé.

Nous vivrons l'expérience de la création, l'accouchement de tout un univers, et nous vivrons la création de la vie... les origines de la vie et de toutes les existences, comme elles n'ont jamais été connues ou vécues auparavant.

Nous pourrons nous reposer et nous parler de nos copies, de nos descendants, de l'histoire de la création... à partir de l'expérience originelle... parce que nous étions là.

Nous aurons vécu chaque étape et les aurons ressenties pleinement, jusqu'au plus profond de nous.

Pour ceux parmi vous qui ont travaillé si dur pour « arranger » notre terre, sauvant les forêts tropicales ou les espèces en voie de disparition (qui se déplacent déjà joyeusement vers la Planète Deux parce qu'elles ont choisi de vivre ici), n'essayez plus de guérir les maux de ce monde qui va bientôt mourir. Ça ne fait que mettre un pansement sur quelque chose qui ne peut être arrêté et ne VEUT pas être arrêté. Laissez-le mourir de sa mort naturelle et portez votre attention à la naissance plutôt qu'à la mort.

Je n'ai aucune idée de la façon dont ceci se passera pour les autres réalités, mais pour nous, ce sera comme si on s'endormait un moment, puis qu'on se réveille, et que plus rien ne soit pareil. L'ancien monde aura disparu et nous vivrons dans le nouveau.

Le sol sera quelque peu différent, avec des arbres et des arbrisseaux placés différemment, ce que vous remarquerez tout de suite. Puis, vous serez aussi immédiatement conscient de la beauté intérieure et extérieure qui ne peut pas se traduire par des mots.

Certains amis seront encore avec vous, d'autres non. Et ce sera la même chose pour les membres de votre famille. Mais vous saurez de façon absolue — vous SAUREZ — que c'est une bonne chose.

Nous ne manquerons pas d'aide technologique pour nous aider à créer tout ce dont nous aurons besoin ou désirerons.

Nous continuerons à manger, mais seulement parce que nous en aurons envie. Le corps n'aura alors pas besoin de nourriture, comme la lumière n'a pas besoin de nourriture pour se sustenter. Nous serons amenés — mais pas au début — dans un passage unique entre un corps solide et un corps de lumière.

Nous serons encore des hommes et des femmes, mais seulement par choix. Beaucoup opteront pour l'androgynie. En fait, le moment viendra où l'accouchement se fera par la pensée seulement. (Sans commentaires.)

Nous deviendrons des êtres multidimensionnels capables de fonctionner consciemment dans plusieurs dimensions à la fois. Et le corps vivra aussi longtemps que nous désirerons qu'il vive. Ça n'est pas si mal.

Comme nous n'aurons plus peur, le plaisir de la compétition sera présent. En fait, la créativité venant de la compétition fleurira, mais dans une certaine joie créative que nous connaissons rarement ici.

Bien, c'était donc la salle de bal. Tout cela pourrait ne pas se produire d'un coup, mais sans l'influence des Autres, ce seront nos passions qui créeront cette réalité, et ce, dans un délai très court. Oh oui, je suis pour !

Le marché

La naissance est du domaine de la physique auquel je ne comprends absolument rien, mais je sais qu'elle a été planifiée pour faire perdre la domination des Autres qui ont si habilement infiltré notre univers, et s'en sont pris à nous, les êtres humains tridimensionnels. Comprenez-vous ? Pas du tout !

Voilà tout ce que je sais. Les marchés sont faits dans le cosmos de la même façon qu'ils le sont ici. Je parle ici de marchés honnêtes, pas des autres. Abe a conclu un marché honnête avec son frère pour s'assurer (secrètement) que la naissance se produirait. Ce n'était pas un beau contrat, mais un contrat honnête. Du moins, jusqu'à ce que son frère le rompe.

D'abord, toutefois, je dois insister sur le fait que toutes les étincelles qui sont nées de Lucifer, les autres premières-nées de fréquences inférieures et chacune de leurs propres étincelles (les copies), puis de leurs étincelles, et ainsi de suite, jusqu'à on ne sait pas combien de millions et de millions d'êtres, bien qu'elles aient préparé ce que nous décririons comme étant les « ténèbres », ne sont pas mauvaises, mais simplement perdues.

Comme les enfants élevés dans les ghettos par rapport à ceux élevés dans le meilleur des quartiers, elles n'ont simplement jamais eu ce que nous avons, l'expérience de la Vie. Et, comme certains de ces enfants venant des ghettos qui se tournent vers le crime, le vol ou la drogue, tout ce qu'elles ont toujours voulu, c'est quelque chose de mieux que ce qu'elles avaient.

Beaucoup des premières entités des ténèbres qui se sont trouvées impliquées avec la Lumière opteront pour cette direction. Soit, ce ne sont pas toutes qui le feront, mais suffisamment d'entre elles démontreront qu'il y a des moyens d'obtenir ce que nous avons, autrement que d'essayer de nous le prendre avec des moyens détournés et la manipulation. Bon, je me suis un peu égarée, mais le conte de fées, qui est vrai, continue.

Abe et son frère avaient conclu un marché. Alors que son frère voulait la Vie, pas seulement pour lui, mais pour toute sa progéniture qui croissait rapidement, Abe, qui agissait encore en conformité avec les Aînés pour son expérience, fut d'accord pour donner à son frère une chance de l'obtenir.

Donc, le grand patron de la Lumière, et le grand patron des ténèbres se sont réunis et ont conclu un marché. C'est très difficile pour moi d'écrire sur ce sujet, même si au plus profond de moi, je sais que c'est vrai.

Même si Abe a banni Lucifer de son univers, le contrôle de Lucifer s'est étendu et son pouvoir est devenu énorme. Alors, avec un plan en tête, Abe a capitulé devant la pression de son frère et lui a permis de revenir dans son univers. Il donna à son frère et à toutes les troupes de son frère carte blanche, sans ingérence, mais à condition que ce soit réciproque. « Tu n'interviens pas dans ce que je fais et je n'interviendrai pas dans ce que tu fais. »

En d'autres termes, ce serait une guerre totale, mais avec la clause conditionnelle que peu importe ce que l'un faisait, l'autre ne pouvait intervenir, et vice-versa, y compris pour la naissance (que Abe n'avait jamais mentionnée à son frère).

Abe se battait pour contrôler l'univers, tout en s'arrangeant pour en faire naître un nouveau. Lucifer se battait pour trouver la Vie. Toutefois, en ce qui concerne Abe, sa permission de laisser faire signifiait souvent qu'il devait mettre ses alliés en lieu sûr.

Si ça signifiait que certains de ses alliés devaient s'engager pour avantager momentanément les ténèbres, alors ils le faisaient.

Si ça signifiait que ses alliés devaient accepter d'être utilisés par les ténèbres quelque temps, alors ils le faisaient.

Si ça signifiait que sa progéniture devait supporter des lustres de manipulation, alors elle le faisait.

Abe savait que sa tolérance vis-à-vis des actions que Les Autres accomplissaient, finirait par le mener à son nouvel univers, qui ne sera pas sous l'influence des Autres.

Ce marché passé entre les deux frères peut sembler horrible si on n'en connaît pas les détails. Mais d'après ce que Abe savait, son frère ne parviendrait pas à respecter le marché. Ce fut en effet le cas. Finalement, Abe n'eut plus à donner carte blanche à son frère et fit le nécessaire afin d'arrêter pour toujours les manipulations insidieuses de son frère.

Mais parce que ce marché n'existe plus et que Abe peut maintenant attaquer ces entités de toutes les manières qui lui semblent convenables, nous qui avons opté pour une meilleur mode de vie, en auront un.

Parce que Abe est maintenant complètement libre d'apporter la naissance comme il le désire, les Autres ne feront pas partie du nouvel univers.

Parce que Abe n'a plus besoin de tolérer les injustices pour son peuple, cet univers sera très vite laissé aux Autres.

Parce qu'après la naissance, cet univers, dans lequel nous résidons maintenant, deviendra trop surchargé par les basses fréquences des Autres, il finira par s'effondrer, laissant toutes les entités des ténèbres se débrouiller par elles-mêmes dans leurs propres univers, à l'extérieur de la magnifique matrice dans laquelle ceux qui avaient choisi la Lumière vivront. Très bientôt.

Un terrain inconnu

Bien sûr, tout ça est un terrain inconnu. Personne dans l'univers, sauf peut-être Oncle Abe, n'a idée de ce qui est en train de se passer. La seule chose qui est sûre à ce sujet, c'est que pour que la naissance se produise, nous devons faire un grand nettoyage, simple mais immédiat, pour nous débarrasser de l'influence constante des Autres. Plus nous serons nombreux à le faire, plus facile sera la naissance.

Nous évoluons au-delà du temps linéaire, ce qui explique pourquoi le temps semble compté. Parce que c'est le cas. Mais nous ne pouvons pas juste attendre que ceci se produise. Aussi longtemps que nous continuerons à nous voir comme des victimes dans ce combat, les Autres interviendront dans nos croyances. Ça ne doit pas se passer comme ça ! Il est temps de se débarrasser de ces bâtards qui sont avides, depuis si longtemps, de ce que nous avons.

Vous *pouvez* vraiment changer le cours des choses — en un jour ou deux — et prendre le contrôle.

Vous *pouvez* vraiment mettre fin à cette manipulation que chacun de nous sur cette planète expérimente depuis d'innombrables générations.

Vous *pouvez* vraiment devenir le nouveau maître de votre vie.

Mais seulement si vous faites les simples actions qui sont requises, qui n'ont jamais été écrites ou présentées avant, parce que de tels écrits n'auraient jamais été permis, en raison du « marché ».

La conscience sur cette planète consiste à choisir son côté. Certains choisiront d'envoyer paître toutes les influences manipulatrices des ténèbres qu'ils ont subies dans cette vie, ou une autre.

D'autres choisiront de ne rien changer. J'ai beaucoup de peine pour eux, à cause du contrôle total que Les Autres exercent sur eux. Mais comme le reste d'entre nous apportera dans l'être les simples changements nécessaires, nous changerons aussi l'équilibre du pouvoir.

Alors, peut-être que les prochaines années ne seront pas si dures après tout. Ne serait-ce pas fantastique ?

Chapitre cinq

Leur nourriture, nos fréquences

Comment se fait-il que ceux qui ne sont pas nos amis, Les Autres, aient réussi à exercer un tel contrôle sur nous ? Et pourquoi ça n'a pas été découvert avant ?

Et bien, pour la dernière question, vous savez déjà que c'est en raison du marché entre Abe et son frère (que j'ai encore du mal à nommer Lucifer, car ça a une connotation trop biblique, ce qui n'a vraiment rien à voir).

Donc, si cette information est délivrée maintenant, par mon intermédiaire, est-ce que ça signifie que Abe a mis fin à ses engagements ? Oui, il l'a fait, car Les Autres avaient déjà mis fin aux leurs. Comment ? Et bien, je ne sais pas et je m'en fiche. Je sais juste qu'il était impossible de savoir ce qui allait se passer, mais Abe a vendu la mèche. (C'est d'ailleurs tout ce que je peux dire.)

Comment ils ont fait ?

Depuis bien avant le début du calendrier chrétien, et bien avant les civilisations mayas et incas, voire bien avant que *Big Foot* ou ses ancêtres velus essaient de survivre ici, Les Autres nous ont roulés, essayant de découvrir ce qui nous rendait si mystérieux.

Au cours des derniers siècles, ils ont commencé à agir très sérieusement car ils ont découvert les plans de Abe par rapport à la naissance et ont su que cela se produirait bientôt. Bien que la pression qu'ils avaient exercée ne les avait pas menés très loin, notamment à arrêter la naissance, leurs manigances avaient agi sur chacun de nous, car ils remuaient ciel et terre dans une tentative ultime de trouver un moyen de se recréer dans ce que nous sommes.

Quelles sont leurs méthodes ? Et bien, ce n'est pas joli, mais pour la plupart, nous pouvons être impressionnés par leurs exploits, peut-être pas pour la totalité du monde, mais pour vous et moi. Je sais que c'est possible, car je viens de le faire.

Sans aller dans le détail maintenant, il suffit de dire que la façon dont Les Autres nous contrôlent individuellement est une approche sur trois fronts :

1–par le biais de notre système de guidance,
2–par le biais de notre dit Moi Supérieur, et
3–par le biais de notre conscience.

Inutile de le dire, chacune de ces trois étapes nécessite une explication que je ne veux pas vous donner ici, mais sachez que grâce à elles trois, 99,5 % de notre population de six ou sept milliards d'habitants est contrôlée. Chaque jour, au cours de la nuit, lors de soirées, au travail, avec les enfants — vous y avez droit. Tout le temps, 24 heures sur 24. Mais ne vous inquiétez pas, mettre fin à ce contrôle constant et détestable est assez simple.

La nourriture des Autres

Cette influence infinie sur nos vies est la raison pour laquelle notre monde est dans un tel chaos. D'abord, il y a plus d'Autres ici maintenant que jamais auparavant dans notre histoire. Ils sont partout. Et ils ne vivent pas d'amour, c'est sûr. Je peux vous l'assurer.

Comme c'est le cas pour chaque entité, ils ont besoin de nourriture, qu'ils soient faits à 100 % de Lumière pure (c'est-à-dire de la fréquence la plus élevée possible et sans aucune influence des Autres) ou qu'ils soient des sangsues de basse fréquence. Quelque chose doit nourrir chaque être vivant.

Pour ceux qui sont de la Lumière pure, ce n'est pas facile pour eux à notre époque, car ce qui les nourrit, ce sont les fréquences élevées de l'amour, de la reconnaissance, de l'excitation, de la joie, de la passion, etc. Ceci est vrai, qu'ils soient enseignants, guides, Moi Supérieurs, ou qu'ils fassent partie de notre mélange de conscience. D'une manière ou d'une autre, ils doivent tous manger.

Bien, maintenant, qu'est-ce qui reste ? Si nous avons les hautes fréquences du véritable amour, de la joie et du plaisir d'un côté, ce qui reste de l'autre, ce sont toutes les fréquences des autres sentiments, comme la haine, la colère, l'inquiétude, le ressentiment, la jalousie, la peur, etc. Ce sont les sombres fréquences dont Les Autres se nourrissent.

Un simple calcul, maintenant, vous dira pourquoi nous sommes dans un tel pétrin actuellement. Plus ce genre d'idiots sont nombreux autour de nous, *plus il leur faut d'émotions négatives*. Ha ! Ha !

Soyons clairs à propos de ce que sont vraiment ces émotions. Le fait que nous soyons des êtres électromagnétiques n'est pas nouveau. Tous les étudiants de première année en physique le savent. Mais ce qui ressort des études minutieuses menées sur le sujet, c'est que ce que nous ressentons à chaque moment cause des flux vibratoires que nous émettons.

Si les vibrations que nous émettons à partir de nos sentiments et de nos émotions sont, par exemple, au-dessous de l'octave centrale (milieu du piano) d'un piano, les flux vibratoires venant de nous iront de moyennement à fortement négatifs, seront longs et lents (et ils ont été photographiés comme tel), puis deviendront de plus en plus longs et lents au fur et à mesure qu'ils descendent dans la gamme du piano virtuel.

Si ces flux sont au-dessus de l'octave centrale, ou positifs, ils sont de vibration plus courte et plus rapide, devenant plus courts et plus rapides au fur et à mesure que l'on remonte le clavier du piano, comme lorsqu'on passe d'un doux plaisir à une forte excitation.

Ce piano, c'est nous. Si vous avez de simples soucis, des inquiétudes, vous êtes en dessous de l'octave centrale. Mais si vous ressentez la haine, vous descendez dans l'arène des flux très puissants, longs et lents, simplement à cause de ce que l'émetteur ressent à ce moment.

Peu se demandent pourquoi tant de livres sont sortis sur « comment trouver la joie », « comment créer une belle vie », et « qu'est-ce que la pensée positive », tout ce qui serait censé créer des vibrations positives et de fréquence élevée — si elles pouvaient être soutenues— selon l'intensité des émotions que l'émetteur ressent.

Bien, il faut comprendre que si notre monde est envahi par des entités de fréquences inférieures à 100 % de Lumière pure, celles-ci doivent se nourrir de quelque chose, et ce n'est pas de poulet et de frites. Elles se nourrissent de nos émotions, qu'elles soient modérées ou énormes. Par exemple :

Le plus petit souci d'argent, ou de couple, ou de travail, fournit une petite quantité de nourriture.

Les ressentiments, anciens ou nouveaux, fournissent beaucoup de nourriture.

Se plaindre à un feu rouge d'un gars devant vous qui a cinq téléphones collés à ses oreilles et qui ne voit pas que le feu est passé au vert, fournit une très grande quantité de nourriture.

Être en colère après un serveur, ou le chien de votre voisin qui fait ses besoins dans votre jardin, ou le vendeur de journaux qui a oublié de protéger le journal de la pluie — tout cela fournit la nourriture requise.

Peu importe combien cela peut vous sembler « Normal » ou banal (je veux dire, après tout, tout le monde n'est-il pas comme ça ?), chaque petit sentiment « normal » négatif fournit de la nourriture pour Les Autres *qui feront tout ce qu'ils pourront pour favoriser de tels sentiments en vous* !

Jusqu'à ce que Les Autres brisent leur contrat avec Abe, la plupart de ces manipulations de leur part étaient permises, car un accord est un accord... jusqu'à ce qu'il soit rompu. Maintenant que c'est le cas, ce genre de manipulations de nos émotions dans le seul but d'obtenir de la nourriture n'a plus lieu d'être. Plus du tout.

Voyez-vous maintenant qu'à chaque fois que vous appréciez QUELQUE chose, vous nourrissez les êtres de Lumière qui vous entourent, et non Les Autres. Ne vous demandez pas pourquoi il a toujours été si difficile de garder de tels sentiments positifs. Vous n'avez pas eu beaucoup d'aide... jusqu'à maintenant.

Les médias

Ce qui m'exaspère, c'est que tout ce que nous voyons dans les infos télévisées a été manipulé. Les événements qui nous sont montrés ne sont alors que de l'horreur pour ceux qui les vivent et du dégoût pour ceux qui regardent. Mais, après tout, ça fait beaucoup de bonne nourriture, n'est-ce pas ?

Ce peut être quelqu'un qui se fait battre, des dissidents torturés, ou des gens qui meurent à la suite d'une guerre biologique. Regarder de telles images crée habituellement du dégoût et de la colère, voire une grave anxiété. C'est de la bonne nourriture provenant de millions de gens qui n'ont rien fait que regarder les nouvelles télévisées. Qu'entend-on dans les salles de nouvelles : « Si ça saigne, ça marche. » Alors, qui en est responsable d'après vous ?

Les films

Pourquoi pensez-vous qu'il y ait tant de films avec des meurtres et du sang ? C'est la même chose. L'auteur, le producteur, les commanditaires, et autres, sont tous contrôlés à leur insu pour créer de la nourriture pour Les Autres !

Nous allons voir ces films au cinéma ou les regardons à la télé. Nous avons peur, mais nous pensons que c'est normal et émettons des émotions très au-dessous de l'octave centrale. Bien sûr, nous savons que ce n'est qu'un film ; néanmoins, nous avons fourni pendant quelques secondes, ou minutes, ou plus encore, une grande quantité de nourriture aux Autres !

D'ailleurs, j'exclurais de ce constat les films de producteurs comme Michael Landon, Steven Spielberg, Gene Roddenberry, et tous ces gens merveilleux qui ont essayé pendant des années de produire des films qui créeraient justement les sentiments inverses, des sentiments qui ne parviennent, d'ailleurs, qu'à créer de la nourriture pour ceux qui ont la Lumière en eux, plus que pour Les Autres.

La politique

Bien, nous y voilà. Je ne suis pas sûre d'avoir envie d'écrire tout ce qu'on m'a dit là-dessus. Si vous trouvez que j'y vais en douceur ici, ou que je suis un peu timide, vous avez raison.

Vous souvenez-vous quand j'ai dit que 99,5 % de tous les humains avaient un mélange de Lumière et d'entités ténébreuses autour d'eux ? Curieusement, certaines personnes ont plus d'un type et d'autres, en ont plus de l'autre, mais c'est encore, pour la plupart, un mélange fâcheux de Lumière et de ténèbres, avec habituellement plus de ténèbres ces temps-ci.

Toutefois, je sais que la plupart des chanteurs d'opéra et des musiciens classiques sont principalement faits de Lumière, comme une grande majorité de religieuses catholiques. De nombreuses personnes dans le corps médical, comme les médecins, les infirmières et les chercheurs sont la plupart du temps faits de Lumière, comme une majorité de vétérinaires, d'arboriculteurs et de cultivateurs de fleurs. On m'a dit qu'environ la moitié de un pourcent de ceux qui sont actuellement sur cette planète sont constitués à 100 % de Lumière pure. C'est bien, mais une moitié de un pourcent de six ou sept milliards de personnes, ça ne fait pas grand monde.

Ce qui est surprenant, c'est que le nombre de ceux qui ne sont que Lumière semble équilibrer celui de ceux qui sont ténèbres, comme Saddam Hussein ou Hitler.

Alors, nous en arrivons à ceux qui sont *principalement* Lumière (rappelez-vous, nous n'avons pas vraiment parlé jusqu'ici de la façon dont ça se produit, alors allons-y), comme ceux qui sont par exemple à 55 % Lumière et 45 % ténèbres. Ou vice-versa, ceux qui sont à 60 % ténèbres et à seulement 40 % Lumière. Bien, revenons à la politique. Dommage que je n'ai pas trouvé de grotte où me cacher, mais je ne fais que répéter ce qu'on m'a dit ! Environ 70 % de nos politiciens sont essentiellement ténèbres. Hum, bonne journée !

Mais nos politiciens ne font pas ça pour nous causer délibérément du stress et des contraintes. Du moins, pas consciemment. Ils sont habilement et magnifiquement manipulés, de façon pure et simple.

Qu'est-ce que tout ça veut dire en réalité ? Est-ce si mauvais ? Et bien, à moins que vous aimiez le fait que vos taxes vous choquent au point de dégager une grande quantité d'anxiété et de colère négatives, alors je dirais : « Oui, c'est mauvais. »

À moins que vous aimiez le fait que nos politiciens se comportent comme des guerriers, alors je dirais : « Oui, c'est mauvais. »

Regardez tous les effets secondaires provenant de ceux d'entre nous qui ne vont pas à la guerre, ainsi que de ceux qui y vont. Nos maris, nos femmes et nos amis sont envoyés outre-mer au milieu d'un horrible conflit. Comment nous sentons-nous ? Anxieux ? Inquiets ? Bien sûr ! C'est un merveilleux stratagème pour avoir de la nourriture, pas juste venant de ceux qui sont envoyés outre-mer, mais de ceux qui ont été laissés derrière. Que ces conflits soient ou non dus à nos politiciens, ce qui est sûr, c'est que ce sont eux (inconsciemment) qui les ont attisés, car ils sont les plus grands fournisseurs de manipulation de masse pour Les Autres.

Consciemment, les politiciens ont rarement eu le choix, car leur « mélange » de personnel dans le monde occulte a été très difficile à cause des ténèbres. Que les conflits aient commencé avec les terroristes, ou un quelconque dictateur aliéné, ou encore un puissant pouvoir au nom de la liberté, c'est du pareil au même. C'est une manipulation des Autres pour étendre l'anxiété et produire ainsi de la nourriture, tandis qu'ils persistent dans leur tentative effrénée de découvrir le secret de ce que nous sommes, et de la façon dont ils peuvent l'obtenir : la Vie.

Maintenant, écoutez ! La plupart de nos politiciens sont, au fond, gentils et bons. Mais, ils sont aussi des cibles parfaites pour Les Autres, en raison de leur énorme influence.

La plupart de nos politiciens n'ont aucune idée des raisons qui les poussent à prendre des décisions, car ces décisions semblent être parfaitement honnêtes pour eux au moment où ils les prennent. Mais, elles ne le sont pas toujours, car ces personnes, bonnes de nature, sont très bien manipulées afin de produire la nourriture nécessaire pour alimenter la grande quantité des Autres maintenant présents dans nos mondes, pour que l'un d'eux, ou un de leurs groupes, puisse enfin découvrir les secrets de la Vie.

Malheureusement pour les Autres (je suppose), ça n'arrivera jamais, car ils sont tous nés — ou ont été créés — à partir d'une fréquence inférieure à ce que nous avons dans la matrice universelle. À moins qu'ils choisissent de s'incarner comme ceux de la Lumière (qui sont nés avec plus de fréquence que la plupart des Autres), cela ne pourra jamais, jamais, arriver, mais la plupart d'entre eux ne semblent pas le comprendre.

Donc, il ne s'agit pas du tout de faire des reproches à nos politiciens. Il s'agit, toutefois, d'un avertissement quant à ce qui arrive vraiment, et ce, de façon tout à fait inconsciente, pour la plupart.

Les sources spirituelles… un succès

Le *channelling*, les livres, les cartes de tarot, les ouvrages de médiums (ceux qui sont accrédités), les voix dans notre tête auxquelles nous croyons sincèrement, ou simplement ce que l'on appelle l'intuition, sont-elles toutes des choses fiables ?

Si nous entendons des voix, n'est-ce pas Dieu qui nous parle ?

Et tous ces livres merveilleux sur la façon de trouver la joie, n'ont-ils pas été écrits par des gens de Lumière pure ? Ou qu'en est-il de nos guides (en présumant qu'on les croit) ou du Moi Supérieur nous disant ce qui va se passer dans notre meilleur intérêt par le biais de notre intuition, ou de notre instinct ? Ne viennent-ils pas tous de la Lumière ? Et les cartes de tarot, les runes, ou les *channellings* venant d'entités d'une supposée grande sagesse, voire les *channellings* publics ? Ne sont-ils pas tous complètement fiables ?

Désolée, mais la réponse est un vrai « non » ! Ils ne sont pas fiables. Pas ces jours-ci ni à notre époque.

Ils l'étaient, au milieu des années 80, quand cette planète a connu un réveil dynamique. Les entités du *channelling* qui sont intervenues venaient alors des fréquences supérieures de la Lumière, de l'amour et de l'intégrité. Et elles se trouvaient partout, pas juste aux États-Unis, mais en Russie, dans les pays scandinaves, en Australie, en Nouvelle-Zélande, en Afrique du Sud, en Europe, dans les pays asiatiques, et ailleurs.

La plupart des gens qui ont commencé à assister à ces *channels*, moi y compris, l'ont fait par curiosité ou parce qu'un ami les y avait traînés. Généralement, la plupart de ceux qui y sont allés, sont restés, car les mystères de l'univers et sur eux-mêmes étaient lentement exposés à tous ceux qui restaient. Ils découvraient qui ils étaient vraiment, pourquoi ils étaient là, comment ils fonctionnaient et qui était à l'origine de l'univers.

Ensuite, soit chacune des entités qui participaient au *channelling* commença à partir, soit les *channellers* mouraient. Je sais que plusieurs *channellers* ont quitté cette réalité à un très jeune âge, comme si leur travail était fini et qu'ils ne voulait pas faire partie du chaos qui commencerait bientôt.

Tout cela faisait partie du marché que Abe avait conclu avec Les Autres. La plupart des entités que l'on retrouve dans les *channellings* maintenant ne sont pas Lumière. Bien sûr, elles portent des noms bibliques qui inspirent confiance, ou de noms de la Torah ou d'autres textes religieux sacrés, mais pour la plupart, elles ne correspondent pas à ces noms. Ce sont plutôt des imposteurs, avec des *channels* complètement inconscients de la tromperie. J'en ai fait l'expérience et je dois dire que celui que ces entités de *channelling* ont eues comme entraîneur devrait gagner un Oscar pour « Meilleure performance à travers un corps humain ».

Les messages qui nous parviennent aujourd'hui ont juste assez d'amour, d'espoir et de sentiments pour que les gens reviennent, mais maintenant ils sont presque toujours souillés par quelque chose qui nous secoue. Que ce soit dans des séances privées ou publiques, la tromperie est magistrale, et tout à fait préjudiciable.

Les médiums, les clairvoyants, les astrologues, ceux qui lisent les cartes de tarot, les visionnaires, et leurs semblables font tous la même chose maintenant, même si on ne peut pas dire que la grande majorité des honnêtes informateurs spirituels sont des fraudeurs. Pas du tout. C'est juste que, comme nos politiciens, ils ne savent pas ce qui se passe, et donc, ils continuent sur la même voie. Ces médiums continuent à faire confiance à ce qu'ils obtiennent, parce que ce qu'ils *avaient l'habitude* d'obtenir était toujours très précis. Si c'était le cas alors, ça l'est encore aujourd'hui, n'est-ce pas ? Non, pas du tout. Il y a eu des « changements ».

Où sont les terroristes ?

Donc, nous sommes dans une période de terrorisme. Comprenez-vous maintenant pourquoi ? Quelle meilleure façon de créer de grandes quantités de fréquences de peur pour de la nourriture que de s'introduire sournoisement dans un pays et de l'attaquer ?

Nous avons eu des bombes dans des autobus, dans des avions et des alertes postales. Nous continuons à avoir des vigies dans les compagnies d'épandage aérien, les aéroports, les écoles de pilotage et de nombreux autres endroits potentiellement dangereux ou des camps d'entraînement, y compris des escouades de tireurs et des surveillants pour l'immigration. Et oui !

Et le reste...

Les sports sont un succès pour Les Autres. Ils retirent un maximum d'insultes et de mauvaises émotions dans les matchs de football, qu'il soit de type américain ou européen. Comme les émotions ne sont pas aussi hostiles dans les matchs de baseball que dans les matchs de football, Les Autres ont tendance à délaisser ce passe-temps, sauf dans les villes où ils savent qu'ils peuvent augmenter considérablement les émotions. Heureusement, de telles villes sont peu nombreuses.

Vous avez vu ces matchs de foot qui entraînent la frénésie, voire la mort des spectateurs ? Maintenant, vous savez pourquoi. Les Autres ont attisé la violence et l'animosité dans leur propre intérêt et ils l'ont vraiment très bien fait.

En fait, toute association, industrie ou groupe dans lequel un grand nombre de gens peuvent être potentiellement affectés sont une cible. Suis-je en train de dire que de telles organisations sont « mauvaises »? *Mon Dieu, NON* !

Tout ce que je dis, c'est que si un groupe de quelque sorte que ce soit a le pouvoir d'affecter un grand nombre de citoyens, alors ce groupe est une cible de choix pour la manipulation des Autres.

Le mégarisque de Dieu

Il n'y a pas longtemps, les scientifiques et les physiciens ont découvert que notre planète, qui avait vibré à 7,83 mégahertz pendant très, très longtemps, vibrait maintenant à une puissance beaucoup plus élevée. Je veux dire, *énormément* plus élevée, ce qui effraya les esprits des scientifiques, des astronomes et de tous ceux qui en ont eu connaissance. Et bien sûr, ils n'en ont pas parlé.

Très peu en fait en ont parlé, même si les scientifiques savaient que, tandis que le champ magnétique autour de la terre DÉCROISSAIT, comme c'était le cas, les fréquences de la terre CROISSAIENT. N'importe quelle personne qui l'aurait su en aurait été mystifiée..

Ceci n'est pas naturel.

Ceci n'est pas normal.

Comment une telle chose est-elle possible ?

D'où ça vient ?

Qu'est-ce qui en est la cause ?

Pourquoi est-ce que ça arrive ?

Quelles seront les conséquences de ce phénomène sur la planète ?

Ou sur nous ?

Est-ce qu'une hausse des fréquences affecte l'humanité ?

Si oui, comment ?

Les questions de la communauté scientifique étaient sans fin, alors que la communauté métaphysique semblait avoir les réponses :

« Et bien, votre monde change et l'humanité doit augmenter ses vibrations pour faciliter l'arrivée de jours meilleurs. » Ah oui ?

Et bien, ça a du sens pour moi. Tous les livres que j'ai achetés (qui m'étaient généralement suggérés par *channelling*) parlaient tous de la noble responsabilité que nous avons d'augmenter nos fréquences pour nous amener vers ce but obscur, mais crucial, pour la majorité des gens, c'est-à-dire nous faire naître dans ce que nous espérons depuis toujours.

J'ai écrit des livres sur ce thème. J'ai donné des séminaires là-dessus. J'en ai parlé dans tous les groupes qui voulaient bien m'écouter. Je n'avais pas tort, mais je ne connaissais sans doute pas toute l'histoire.

« Vous devez augmenter vos fréquences, augmenter vos fréquences, augmenter vos fréquences... et là, chers amis de la Lumière, voici comment. »

Ce message, en tant que tel, était bon, mais je savais également que la planète augmentait elle aussi ses fréquences. Je ne m'étais jamais interrogée sur le fait que ce n'était que pour le bien de la Lumière, ce qui était vraiment le cas, mais de façon détournée. Ce que je ne savais pas alors, c'était que la Lumière utiliserait tous les moyens nécessaires pour accomplir ce qu'elle voulait accomplir, tout comme les ténèbres. Et ce n'était pas toujours du joli.

Donc, tout ce que j'avais dit à mes groupes, c'était : « Ce sera peut-être difficile pour nous tous, mais c'est ce qu'il faut faire. Tout ce que nous devons faire, c'est réussir. » Oh Grabhorn, quelle imbécile !

Abe, dans son amour immense et sans limites pour sa création, avait conçu une méthode pour éliminer Les Autres de ces hautes fréquences, mais en cours de route, cela finirait par créer les pires souffrances que l'humanité avait jamais subies. Et en plus, cela créerait de la nourriture pour Les Autres. Quel gâchis !

Mais Abe, celui que nous appelons Dieu, n'est pas un imbécile. Il savait précisément ce qu'il faisait. Il savait que ce qu'il créait aurait des conséquences difficiles, mais que c'était nécessaire pour se débarrasser des Autres pour toujours. *POUR TOUJOURS !* Si ses enfants le faisaient jusqu'au bout, cela devait arriver.

Abe savait que les fréquences artificiellement hautes, c'est-à-dire celles qui sont maintenant dirigées par Psi, pousseraient rapidement les émotions de toutes les réalités à l'extrême. Il devait prendre ce risque.

Abe savait que Psi et ses hautes fréquences susciteraient un torrent d'émotions chez les humains pour nourrir Les Autres, des émotions comme le ressentiment, un stress intense, des tendances suicidaires, une colère hors du commun, un grand stress, plus de tabac, plus d'alcool, plus de meurtres, plus de viols, plus d'anxiété en général. Il devait prendre le risque.

Ah ! Ah ! Mais si, d'un autre côté, l'augmentation des fréquences de quelqu'un pouvait être accomplie *à partir de* la personne en question, comme choisir la joie plutôt que la dépression, ou l'excitation plutôt que la colère, Abe savait qu'il y aurait beaucoup moins de conséquences émotionnelles défavorables pour cet être. Ce serait plus difficile à accomplir, du moins jusqu'à maintenant.

Néanmoins, les résultats de ces fréquences artificiellement élevées, peu importe combien elles sont désagréables, devaient être une force prédominante, une sorte d' « amour féroce » pour réaliser les choses nécessaires afin que la naissance prochaine ait lieu. Parce que :

1– **les fréquences artificiellement élevées de Psi élimineraient ceux qui sont trop faibles pour résister à l'influence des Autres afin de réaliser le processus de la naissance ;**

2– **les fréquences artificiellement élevées de Psi détruiraient entièrement la plupart des Autres à l'intérieur de cet univers ; et**

3– **pour ceux qui pourraient résister à l'énergie croissante et ressentir même un petit sentiment de joie par eux-mêmes, peu importe la durée de cette joie chaque jour, l'augmentation artificielle de leurs fréquences par Psi ne pourrait pas les empêcher de participer à ce nouvel univers.**

Ce fut, et c'est, une méthode de purification brutale, mais malheureusement, tout à fait nécessaire.

Le remède, c'est l'horreur

Dans notre réalité, les fréquences d'une personne ne peuvent pas être augmentées artificiellement sans que leur psychisme, leur corps émotionnel et leur vie ne soient complètement chamboulés.

L'augmentation artificielle des fréquences chez quelqu'un, comme avec Psi, cause du stress et de l'angoisse au-delà de ce qu'on pourrait croire dans le corps humain. Elle cause chaque émotion primordiale et incomplète d'un grand nombre de vies pour apparaître et réagir. *Et*, elle mange les produits chimiques de notre cerveau qui nous procurent un sentiment de paix et de tranquillité. Sans ces produits chimiques, nous aurons de gros, gros ennuis, tout comme maintenant.

La dépression commence avec une perturbation dans la partie du cerveau qui contrôle nos humeurs. Quand le stress est trop grand, comme c'est le cas maintenant avec ces fréquences artificiellement élevées, nos mécanismes de « défense » dans le cerveau deviennent insensibles, et la dépression n'est pas loin, avec l'anxiété, la frustration, le stress, etc.

La chose dans le cerveau qui nous garde calme est principalement la sérotonine. Quand le cerveau la produit, la tension est soulagée. Et quand il produit la dopamine ou un des autres neurotransmetteurs, nous pensons et agissons plus vite ; nous sommes plus alertes. Mais nos cerveaux connaissent des moments très difficiles, en ce moment, en produisant chacune de ces choses. Par conséquent, de nombreuses pilules sont distribuées maintenant pour produire plus de ces neurotransmetteurs. Pas étonnant.

L'augmentation artificielle des fréquences est comme une bombe atomique pour la plupart d'entre nous. Mélangez-la avec ce que Les Autres gagnent joyeusement de cette croissance d'émotions négatives et vous atteindrez les bas-fonds, partout sur la planète. Néanmoins, cela doit se passer, ne serait-ce que pour le « nettoyage ».

Pendant des siècles, les fréquences de l'humanité ont vibré à environ 90 mégahertz. Lors du passage à l'an 2000, l'humain moyen vibrait autour de 110 Mhz. En deux ans, la fréquence de l'humain moyen a augmenté de 130 Mhz. Hello ! Un « nettoyage », d'accord, mais aussi :

Des gens qui tuent des gens, et se demandent pourquoi.

Des gens qui se suicident, quand il semble ne pas y avoir de raison visible.

Des gens qui sont en profonde dépression, sans cause apparente.

Des gens qui divorcent avec colère, alors que dans le passé, les choses se seraient arrangées.

Des gens qui s'emportent contre d'autres, pour un simple frisson.

Des gens qui en poursuivent d'autres, pour des raisons risibles.

Des gens qui s'accaparent des compagnies pour éprouver un genre de joie à l'agonie des autres.

Des gens qui veulent que ça cesse.

Des gens qui veulent que ça cesse.

Des gens qui veulent que ça cesse !

Entre un gros caillou et un endroit très dur

S'il vous plaît, ne blâmez pas Abe, l'énergie divine que nous appelons Dieu qui enveloppe cet univers béni. Il a fait un marché pour nous aider, pas pour nous nuire. Ceci a fait partie de son plan pour assurer l'arrivée de la naissance, car quand la naissance se produira, les fréquences élevées agiront aussi comme un filtre pour empêcher chaque énergie qui n'est pas essentiellement composée de Lumière de pénétrer dans cet univers.

Soit, ça ne nous aide pas tout de suite. Nous continuons à vivre avec le côté désagréable de ces hautes fréquences, mais elles ne seront pas si mauvaises, ou si intenses qu'elles l'ont été jusqu'à maintenant, une fois que nous nous serons débarrassés de l'influence des Autres en accomplissant ces simples étapes. Puis, il sera encore plus facile de trouver des moments de joie quotidiennement, ce qui semblait récemment presque impossible.

C'est tout ce dont nous avons besoin, juste ces quelques moments de joie, et nous les aurons. Je vous garantis que, si vous voulez ce nouvel univers, c'est tout ce dont vous aurez besoin. Ce ne sera pas facile, mais ce sera de plus en plus facile.

Nous pouvons faire en sorte que ces désirs se réalisent, ces désirs de soulager le stress, de vivre des moments de joie, de connaître des périodes merveilleuses... nous pouvons faire en sorte que ça arrive. Tout ce qu'il faut, ce sont quelques minutes de concentration en faisant ces étapes, puis, pour vous comme pour moi, les guerres des millénaires seront une chose du passé. Et l'avenir ? WOW !

Chapitre six

La relève de la garde

Si vous êtes encore avec moi, c'est fantastique, car ça n'a rien de drôle de lire des choses sur ces impitoyables entités qui ont probablement géré votre vie.

Ce n'est pas plus drôle de lire des choses sur la façon dont vous et les autres sur cette planète avez été si bien manipulés. Mais vous êtes encore avec moi. Fantastique ! Vraiment fantastique !

Ça va être plus gai maintenant, car nous allons nous concentrer sur la façon dont nous pouvons mettre fin — du moins pour nous-mêmes — à cette fâcheuse manipulation qui est allée trop loin, beaucoup trop loin.

Comment nous l'avons permis

Nous naissons, nous mourons. Nous naissons, nous mourons. Mais seul le corps meurt, pas le « nous », ou plutôt le « je » que nous sommes. Pas dans cet univers et dans aucune réalité à l'intérieur de cet univers. Nous ne pouvons tout simplement pas disparaître.

Et bien sûr, ce que Les Autres ont si désespérément voulu, c'est cette étincelle de Lumière, le « je » de nous qui vit toujours, aussi longtemps qu'il reste à l'intérieur de cette matrice universelle.

Répétons : dans dans cet univers, qui est le seul dans tout l'Être qui soit créé par la Lumière pure à 100 %, seuls les corps meurent, jamais le Vous de vous. *Vous... ne... mourez...pas !* Maintenant, peut-être que vous aimeriez ça, mais désolée, ce ne sera pas le cas. Vous ne le pouvez pas. C'est tout simplement impossible.

Bien. Donc, nous ne mourons pas. Mais alors, comment amassons-nous cet impitoyable bagage que nous transportons avec nous vie après vie ?

Les copies

À l'origine, la plupart d'entre nous ici sont des copies des entités de Lumière pure à 100 %, ce qui signifie qu'une entité a un jour voulu plus d'elle-même, qu'elle a donc créé une étincelle, une copie, et que nous sommes nés.

En fait, si nous venons d'une entité de Lumière pure à 100 % et si nous observons notre lignée, nous remontons à Abe, l'entité que nous appelons « Dieu » dans cet univers, car c'est de lui que tous les êtres de Lumière pure à 100 % viennent.

Disons que vous et moi venons d'une entité (une copie), qui vient d'une autre entité (une copie), qui vient de Abe. Avec le temps, nous avons vécu dans de nombreuses réalités, et à un moment donné, nous en avons choisi une pour élire domicile. Pendant quelque temps, du moins.

Mais, voilà le hic ! Si nous sommes nés de la Lumière (et c'est sûr, ce n'est pas le cas de tout le monde sur cette planète), alors il y a toujours eu quelque chose en nous qui a voulu aider cet univers à sa façon. Aider comment ?

Et bien, nous ne le savions pas toujours. Nous savions juste qu'il fallait aider. Beaucoup d'entre nous ont trouvé, même si ce n'était pas toujours agréable, qu'un des moyens les plus efficaces était de s'incarner dans la troisième dimension, dans un corps humain. Nous savions que ce serait difficile, mais après tout, nous étions les avant-gardes et les serviteurs très dévoués de la Lumière.

« Vous avez besoin de mon aide ? Et bien... heu... bien sûr ! OK. Comment puis-je me rendre utile ? »

Et c'est ainsi, qu'un par un, à partir de chaque réalité de l'ensemble de l'univers, nous avons quitté notre domicile pour nous aventurer là où on nous avait dit que ce pouvait être difficile, mais nous ne savions pas *combien* ça le serait.

Nous savions déjà que l'humain tridimensionnel gardait dans son corps les secrets de l'univers dans son entier, de tout ce qui avait été depuis le commencement du Tout Ce Qui EST, dans et hors de cet univers.

Et nous savions aussi que cette invention tout à fait unique nommée l'humain, bien que faible dans le mât totémique vibratoire de l'existence universelle, contenait dans sa structure les codes de la Vie d'une valeur si indescriptible, qu'il était maintenant — avec ses codes — le plus grand trésor jamais recherché à travers tout l'Être. Comme le temps n'est rien dans les autres dimensions, nous savions aussi qu'une fois que nous entamerions cette petite excursion dans l'existence, nous embarquerions dans un long voyage selon la troisième dimension, mais pas selon les critères d'une absence de temps. (En fait, j'ai su que l'univers avait une sorte de temps, mais ils l'appellent « marqueurs d'événements. »)

Le pire, c'est que nous savions que nous devions émerger, à un certain niveau du moins, avec Les Autres, ou il n'y aurait pas d'intérêt à notre « descente » ici. Bien que c'était tout, sauf attirant, nous étions presque sûrs qu'aussi longtemps que nous transporterions avec nous une grande quantité de Lumière, nous serions bien. Et oui, voilà ce que c'est que d'avoir trop confiance !

Inutile de vous dire que ça ne s'est pas passé comme nous l'avions prévu. Les ténèbres avaient beaucoup plus de contrôle que nous le pensions. Pour ne pas arranger les choses, quand nous avons choisi, puis intégré un corps, qui avait probablement une prépondérance de ténèbres, et que nous y avons évolué, nous ne savions pas ce qui allait se passer, en raison des « voiles » d'oubli sur la mémoire de l'humain.

Les ténèbres ? La Lumière ? Qui s'en souciait vraiment ? La majorité d'entre nous voulaient seulement vivre leur vie du mieux possible.

Mais de temps à autre, une lumière passait par certains d'entre nous. Nous ne pensions peut-être pas à la

Lumière et aux ténèbres qui dirigeaient nos vies, à nos guides, ou à notre Guide Principal, mais nous pensions que quelque chose en était forcément à l'origine. La vie ne pouvait pas être aussi dure. Quelque chose n'allait pas, mais quoi ? Un processus de réveil s'est enclenché chez ceux qui ont réfléchi à cette question assez longtemps. Un désir d'en savoir plus : qui étaient-ils, pourquoi, etc. Oui, nous nous sommes réveillés, bien que lentement.

Peu importe, vers la fin du XXᵉ siècle, la Lumière a commencé à s'incorporer dans un grand nombre de gens sur cette planète et elle a énormément contrarié Les Autres.

Comme de plus en plus d'êtres de tout l'univers ont répondu à l'appel à l'aide en s'incarnant ici pour faire entrer leur Lumière dans les vies de stress et de douleurs, les conséquences du marché qui avait été conclu pour leur permettre — à la fois à la Lumière et aux ténèbres — de le faire, devinrent une véritable guerre.

Vie après vie, ceux qui étaient de Lumière s'incarnaient dans des gens tout à fait ordinaires, pour la plupart, sachant très bien que chaque vie ressemblerait à un nouveau départ qui s'oublierait.

Néanmoins, ils offraient l'espoir que leur équilibre de Lumière était assez fort pour l'emporter sur les ténèbres auxquelles ils avaient choisi de succéder, et que peut-être, seulement peut-être, ils trouveraient un moyen de prendre conscience de leur vraie nature, et ce faisant, d'aider l'humanité à sortir de ce cauchemar croissant.

En un mot, voici comment et pourquoi nous, les humains, sommes entrés dans cette pagaille. Maintenant, il est temps de découvrir comment nous pouvons en sortir, du moins, personnellement.

Les trois cafouillages

Il y a seulement trois zones dans lesquelles Les Autres ont pris le contrôle sur nous. En fait, dire « seulement trois », c'est comme dire : « Il y a seulement trois bombes qui sont prêtes à exploser, alors ne vous inquiétez pas. » Donc, il y a seulement trois zones, chacune d'elle pouvant facilement être modifiée.

La première est dans notre **guidance**.
La deuxième est notre **Guide Principal, ou notre Moi Supérieur.**
Et la troisième est notre **conscience**.

Surprenant, non ? Bien sûr, peut-être que nos guides viennent des Autres (à condition que nous croyions avoir des guides), mais notre Guide Principal ? Ou notre conscience ? Vous devez plaisanter.

Oh, comme j'aimerais que ce soit le cas !

Première manipulation : notre guidance

La règle absolue et sacrée de l'être humain est que vous *ne* pouvez *pas* être physique sans avoir un minimum d'au moins trois guides venant du monde occulte. La raison, comme je la comprends, ressemble à quelque chose comme ce qui suit.

Avant d'arriver ici, nous avions élaboré une sorte de stratégie pour les choses que nous voulions expérimenter, comme certaines leçons que nous croyions pouvoir nous être bénéfiques, ou la résolution de prendre conscience de notre Lumière, ou peut-être juste aider un ami. Ça NE veut PAS dire que notre voie est tracée ou prédestinée. Pas du tout. Ça veut dire, tout simplement, que nous avons trouvé un sens à notre prochaine incarnation et que nous avons eu besoin de l'aide du monde occulte pour y parvenir.

Donc, nous avons demandé à de vieux amis issus de notre domicile originel, ou même de nos vies passées, de nous donner un coup de main cosmique pour notre voyage, tout comme nous, à maintes reprises, nous l'avions fait pour eux. Une sorte de donnant-donnant, finalement.

Franchement, je ne peux pas imaginer quelque chose de plus ingrat dans tout l'Être, mais je suppose que si ça devait être fait, ça le devait. C'est la loi.

La plupart d'entre nous sont arrivés ici avec le minimum de guidance requis, soit trois. Certains en ont cinq ou plus (je ne sais pas du tout pourquoi), mais ce qui compte, c'est que chacun de nous, dans un corps humain, a des guides.

Les guides « parlent » à la majorité d'entre nous (à moins que nous soyons comme Jeanne d'Arc et entendions vraiment des voix) par le biais de nos pensées. Nous recevons l' « appel » de faire ceci ou cela, ou d'aller ici ou là, ou de tourner dans une émission de télé en particulier, ou de contacter un certain ami, ou d'être présent dans une quelconque fête.

La plupart du temps, ce genre d'appel ou d'instinct, ce sont nos guides qui nous disent : « Hey, mon ami, tu veux faire du cinéma ? Et bien, va au bar de Joe ce soir, et il y aura quelqu'un là-bas pour te lancer. Une fois que tu y seras, nous nous arrangerons pour que tu tombes sur la bonne personne. »

Combien de fois avez-vous été abasourdi par certaines situations qui ressemblaient à une « coïncidence » (ça n'existe pas !) dans vos rencontres ?

Ou avez-vous déjà raté un avion qui s'est écrasé ? Ou eu une quasi-collision sur l'autoroute ? Ou fini par vous faire offrir un bon travail par un vieil ami que vous aviez recontacté ?

Ce genre de choses vient généralement de nos guides du monde occulte qui font tout ce qu'ils peuvent pour nous orienter.

Par exemple : « Non, non, ne tourne pas à gauche comme tu le fais d'habitude, tourne à droite ! » Puis, vous apprenez qu'il y a eu un accident mortel sur la route de gauche. Ce peut être aussi quand vous avez perdu votre emploi et que vous avez miraculeusement retrouvé un travail qui s'avère beaucoup plus proche de ce que vous aimiez.

Bien, vous voyez ce dont je parle, maintenant. Vos guides, que nous avons tous en raison des règles de la loi universelle, sont là pour vous guider autant que possible dans la stratégie que vous avez mise en place avant d'arriver ici. Est-ce que ça fonctionne encore ? Non, parce que si nous recevons souvent de très bons conseils, nous en recevons aussi qui sont beaucoup moins utiles. De la part des Autres.

Le mélange de notre guidance fonctionne un peu comme la politique. Lors d'un vote, mettez deux politiciens du parti L (pour Lumière) et seulement un politicien du parti T (pour ténèbres). Nous savons tous qui va gagner. Du moins, la plupart du temps.

Toutefois, prenez ce même mélange de guidance de deux L et d'un seul T, et ajoutez-y un Guide Principal qui est aussi un T, et là, tout est différent. Vous vous dites sans doute que ça forme un équilibre. Et bien non ! Le Guide Principal a beaucoup plus de pouvoir que les autres entités. Et nous avons alors un troisième système à explorer. La suite, c'est la deuxième manipulation, notre Guide Principal.

Deuxième manipulation : notre Guide Principal

(J'ai l'habitude de dire « il » ou « lui » ici, mais s'il vous plaît, ne vous y attardez pas. Ce ne sont que des mots, car la langue française est limitée en ce qui a trait au genre. Il n'y a pas de genre dans ce que je suis en train de décrire.)

Oui, ce Guide Principal est nommé *guide*, mais en fait, il est assez différent de ceux (ou plus) qui ont suggéré que nous tournions à gauche quand nous prenions toujours à droite. Ce compagnon est le grand patron. Il est l'influence qui contrôle. Quand il parle, le corps l'écoute et lui obéit toujours. Soyez heureux, toutefois, que le Guide Principal n'intervienne pas toujours. Soyez heureux que ce soit le cas surtout s'il s'agit d'un T.

Notre Guide Principal ne s'implique pas dans des choses banales comme vous trouver une place de stationnement ou jouer à Cupidon. Mais, il intervient férocement si son équipe de guides va contre ses intentions, que ces intentions soient les vôtres ou non.

Donc, d'où vient ce directeur général ? Et comment a-t-il fait pour être si puissant ? Et pourquoi ? Et... ?

Comme dans toute entreprise, quelqu'un doit être le patron. Le président et son conseil d'administration exercent un pouvoir et une autorité énormes en dirigeant la compagnie, mais la vision globale vient du directeur général, pas du président.

Le plus souvent, ce Guide Principal a la génétique biologique du corps dans lequel nous décidons de nous introduire. Nous pouvons ne pas aimer ce fait, mais nous n'avons pas le choix si nous voulons naître dans un endroit particulier, ou une famille, une profession, ou encore constituer d'autres sortes de génétique.

Et bien sûr, nous pensons presque toujours — déjà en venant ici — que nous pouvons vaincre l'influence de ce

Grand Patron s'il se trouve être un des Autres, ce qui n'est pas commun pour une entité qui vient de la Lumière. Mais ce n'est pas rare non plus. Et nous gagnerons rarement. Si c'est la façon dont c'est organisé, alors c'est généralement comme ça que nous vivrons, tout au long de notre vie (du moins, jusqu'à maintenant !). Après tout, si nous ne le savons pas, comment cela peut-il nous inquiéter ? Et qui connaissait beaucoup de CES choses après être entré ici ?

Troisième manipulation : notre conscience

Je n'ai pas d'indice sur la façon dont ça fonctionne. Aucun indice ! La conscience est pour moi, et pour la plupart des gens que je connais, si complexe et méconnue que tenter de décrire quelque chose que je ne comprends pas n'aurait aucun sens. Ce que je sais, c'est que la conscience est venue des deux premières étincelles issues du néant et qu'elle a été développée à partir de là.

Au début, il semblait parfaitement normal pour nous tous, dans toutes les réalités, de créer un mélange de conscience : à partir des copies d'un des premiers-nés et des copies de l'autre. Nous voulions ce mélange parce que nous voulions intervenir dans l'individualité et avoir une personnalité qui nous serait propre. Nous avons vite réalisé qu'autrement, nous serions tous identiques. Comme ce n'est pas ce que notre source originelle voulait pour elle-même ou pour nous, ce n'est pas ce que nous voulions non plus.

Donc, nous avons fait un mélange. Nous avions besoin d'un peu d'une entité et d'un peu d'une autre, créant ce que nous pensions être le meilleur pour cette incarnation. Puis, nous l'avons encore plus mélangé, prenant les données de n'importe quelle entité qui, pensions-nous, nous aiderait dans notre projet à apprendre et à évoluer.

À maintes reprises, cela a signifié inviter un ou plusieurs des Autres à faire partie de notre conscience. Ou, si nous étions surtout ténèbres, cela signifiait inviter une partie — une copie — d'une entité de Lumière à faire partie de ce mélange.

Peu importe comment c'est arrivé, la conscience est toujours un mélange d'entités, et dans cette vie, comme dans toutes les vies, nous avons un mélange dans notre conscience de nombreuses entités, jamais plus que dix, et parfois seulement trois.

Sans connaître la biologie, nous avons toujours su comment serait la génétique de l'être et le mélange de conscience. Nous pouvions décider de la modifier quelque peu avant de nous y intégrer, ou nous pouvions décider de la laisser telle quelle, selon nos buts à l'égard de cette incarnation.

Mais si notre but principal était d'amener la Lumière aux masses, cela ne voulait pas dire que cette Lumière devait être trop éblouissante. Sinon, nous nous serions isolés nous-mêmes des gens avec lesquels nous devions nous associer. Nous nous serions isolés nous-mêmes de ce qui était « normal » ici et tous ceux que nous aurions rencontrés auraient vu notre étrangeté.

Donc, nous savions que nous devions faire un mélange pour réaliser nos objectifs.

Le seul problème était qu'aussi longtemps que nous serions ici, nous oublierions tout ceci, et le plus souvent, alors que nous vieillirions, nous nous demanderions pourquoi la vie est si exigeante.

Comment tout ça se passe

Donc, vous avez maintenant compris la complexité de nos mélanges, avec nos guides, notre Guide Principal et notre conscience, et la façon dont tous fonctionnent ensemble.

La façon dont tous fonctionnent ensemble est, le plus souvent, une vraie pagaille.

Si un de nos guides vient des Autres et qu'une partie de notre conscience vient des Autres, notre Guide Principal qui est Lumière va avoir du mal à imposer ses directives (merci *Star Trek*).

Je pourrais en parler pendant des pages et dire : « si ce mélange-ci est comme ci et que ce mélange-là est comme ça, alors celui-ci peut ou ne peut pas... » Mais voici comment ça se passe sur cette planète :

Environ 50 % de l'humanité est essentiellement Lumière, avec une fraction (environ 0,5 %) de Lumière pure.

Environ 50 % de l'humanité est essentiellement ténèbres, avec une fraction de ténèbres pures (aussi environ 0,5 %).

Mais le mélange de ces trois sections à l'intérieur de chacun de nous a tant de variables que dire qu'un nombre X correspond à ceci, ou qu'un nombre X correspond à cela, est impossible, pour ne pas dire fastidieux. En plus de ce scénario, le fait est que certains d'entre nous ont créé leur mélange exprès et que d'autres ne l'ont pas fait, ou que seulement la moitié ont... et flûte !

Oui, certains dont l'étincelle de Vie originale était Lumière sont maintenant ténèbres, tandis que d'autres qui ont toujours été essentiellement ténèbres, œuvrent maintenant péniblement pour posséder la Lumière. C'est une vraie pagaille, mais pour la première fois, ça ne peut pas se régler par l'incarnation.

Si Les Autres sont dans un processus de

1– création de mauvaises émotions pour pouvoir se nourrir, alors

2– ils peuvent rester dans les parages aussi longtemps que possible avant la naissance pour trouver un moyen de mettre en pratique les secrets de la Vie à partir des codes de notre ADN, et ensuite

3– ils vont continuer à agir sur nous pendant aussi longtemps et de façon aussi rigide qu'ils le peuvent. C'est leur programme.

Mais maintenant, ça suffit. Maintenant, nous pouvons changer ceci pour nous-mêmes, pas pour les autres, mais pour nous-mêmes. Merci mon DIEU !

NOTE !
Il y a trois étapes dans cette partie et quatre dans le prochain chapitre.
S'IL VOUS PLAÎT !
Ne faites pas les trois premières à moins d'être prêt à faire les prochaines.
Faites-les toutes en même temps.

Alors, allons-y !

La première et la deuxième étape sont extrêmement simples et ne nécessitent aucune douleur physique. La troisième peut vous faire sentir un peu « ailleurs » pendant quelques jours, mais en fait, de tels sentiments sont mineurs. Peut-être que vous prendrez trois aspirines au lieu de deux. Dans un endroit physique où vous pouvez trouver et sentir un certain degré de paix et de quiétude à l'extérieur et à l'intérieur de vous, attirez la sérénité en vous et une assurance dans vos intentions, et déclarez soit tout haut, soit dans votre tête (on m'a dit que tout haut, c'est mieux) à :

1 – Votre équipe de guides :

« De la Lumière de Dieu que je suis, je déclare par l'acte présent que mon équipe de guides sera composée, dès que chaque transfert nécessaire pourra être fait, uniquement de membres de Lumière pure à 100 %, qui n'ont jamais été reprogrammés par les entités des ténèbres. »

2 – Votre Guide Principal :

« De la Lumière de Dieu que je suis, je déclare par l'acte présent que l'entité qui est mon Guide Principal sera une entité de Lumière pure à 100 % qui n'a jamais été reprogrammée par les entités des ténèbres, avec un grand changement, si nécessaire, qui doit être fait dès que possible.

3 – Votre conscience :

« De la Lumière de Dieu que je suis, je déclare par l'acte présent que mon mélange de conscience sera converti, si nécessaire, en un mélange d'entités de Lumière pure à 100 % qui n'ont jamais été reprogrammées par celles des ténèbres. Je déclare en outre que cette conversion devra avoir lieu dès que possible, mais de préférence la nuit quand je dors, et aussi délicatement que possible pour que je puisse continuer ma routine quotidienne normale. »

Vous êtes en bonnes mains

Ensemble, ces trois étapes de la relève de la garde devraient, dans la plupart des cas, ne pas prendre plus d'une semaine ou deux après que vous les ayez prononcées. Désolée, mais même le cosmos ne peut pas donner de coups de baguette magique pour que ça se produise instantanément, alors vous devez donner la possibilité à vos troupes de Lumière d'apporter ces modifications.

Tandis que certains de vos mélanges actuels peuvent se plaindre et grogner d'être flanqués dehors, je peux vous assurer que toute cette histoire a été planifiée depuis le sommet. Le grand chef, Abe, est en charge de ce programme de remplacement de masse, et toutes les entités de Lumière pure à 100 %, qui n'ont jamais été altérées par les ténèbres (et il y en a), ont été placées en état d'alerte. Elles savent ce qui s'en vient et elles savent quoi faire.

Donc, la composition de votre mélange n'a aucune importance, que vous soyez à 80 % Lumière ou à 90 % ténèbres. Si vous avez la plus petite étincelle de Lumière en vous et que vous sentez que vous désirez profondément ce changement, alors ce sera fait dès que vous l'évoquerez avec ces étapes.

Certains échanges peuvent prendre plus de temps que d'autres, mais une fois que vous lancerez cet appel, une fois que vous déclarerez votre intention de façon ferme et significative, ça se fera. Ce sont les ordres de Abe. C'est ainsi que ça doit se faire.

Et ensuite ?

Est-ce que votre vie va changer comme par magie en une nuit ? Probablement que non, mais par contre, elle changera si vous gardez les yeux ouverts à ce changement. Peut-être que l'opportunité d'un nouvel emploi se présentera, ce qui ne serait pas arrivé autrement. Peut-être qu'un nouvel amour surviendra dans votre vie, si c'est ce que vous recherchez. Peut-être que vous trouverez beaucoup plus facile de vivre des moments de joie et de plaisir.

Une chose est sûre : vous ne souffrirez plus jamais des expériences des Autres.

Peu importe comment les changements se présenteront à vous, sachez ceci : vous — et vous seul, grâce à vous — aurez réalisé une des étapes les plus prodigieuses qui demandent une grande assurance, en amenant notre univers dans la plénitude de la Lumière, ce qui n'a jamais été fait depuis que l'existence et notre univers existent. Et pour cela, je peux vous assurer, de chaque particum de mon être, que vous méritez absolument tous les honneurs.

Chapitre sept

Juste au cas où

Au cas où vous ne seriez pas encore sûr de vouloir faire ces simples étapes pour éviter certaines perspectives inhumaines latentes, méfiez-vous. Je vais vous dresser le portrait de ce qui pourrait vous arriver vous décrivant brièvement les trois dernières années d'horreur que j'ai traversées dans la seconde période de trois ans de cette abominable odyssée. Il est important que vous le sachiez, car ça pourrait très facilement vous arriver.

Si j'avais décrit ces années de torture plus tôt dans le livre, ça aurait eu l'air de tactiques de peur et je ne voudrais surtout pas que… pas déjà.

S'il vous plaît, sachez que pour faire ces étapes, vous n'avez pas à vous asseoir sur le sol, les jambes croisées, le corps orienté nord/nord-ouest, tout en vous entourant de pierres précieuses, de cristaux, de chandelles et d'encens, et en chantant des Oomms et autres incantations sacrées au son de la harpe et à la flûte.

Ceci étant dit, j'espère que les prochaines pages vous aideront à décider quoi faire, car ce à quoi vous pourriez faire face n'a rien de drôle, je vous le garantis.

N'ayez aucun doute, ceci est une guerre tout à fait réelle qui fait rage entre la Lumière et les ténèbres. Je suis sûre que cette vieille expression que je déteste : « En amour comme à la guerre, tous les moyens sont bons », est le cri de guerre des Autres. Alors, s'il vous plaît ! Ne vous laissez pas faire et ne devenez pas une de leurs victimes.

Le jour de la chute

Ma chienne Lucy, que j'adore, a commencé à avoir de graves problèmes d'arthrite. Sur un coup de tête, j'ai décidé de l'amener chez un vétérinaire naturopathe qu'un ami m'avait recommandé. Non seulement il pratiquait la naturopathie, mais il avait aussi réalisé des guérisons surprenantes avec l'acupuncture.

Le bureau du vétérinaire était loin de chez moi, mais la route était si belle dans la campagne que la distance ne me tracassait pas du tout. Le mont Rainier captivait mon attention, tandis que la route que nous suivions semblait littéralement grossir la montagne en taille et en majesté.

L'État de Washington n'avait rien à voir avec la Nouvelle-Angleterre. Les belles journées, au contraire des journées nuageuses et tristes habituelles, étaient des trésors peu fréquents. Or, c'était un de ces rares jours plein d'éclat et c'était merveilleux. Si j'y pense assez fort, je peux encore sentir l'odeur des feuilles aux couleurs automnales qui ressortaient d'un côté à l'autre des prés vert tendre, avec en toile de fond, les fameux sapins de Washington et ce mont Rainier omniprésent.

La pauvre Lucy était un ange, car elle a été piquée par des millions d'aiguilles. Angel, mon épagneul Springer, était resté dans la voiture, gémissant de temps en temps pour montrer qu'il était touché par ce qui arrivait à sa sœur adoptive. Et je faisais tout ce que je pouvais pour distraire Lucy en tournant ma tête aussi loin des aiguilles que je le pouvais.

Quand l'épreuve fut enfin finie et que j'ai fait monter ma chienne à moitié sonnée dans la voiture, calmé Angel et payé la facture, nous nous sommes arrêtés dans un petit restaurant sur la route pour manger des hamburgers, puis nous sommes repartis pour la maison. Je me disais que c'était une belle excursion : d'abord, cette charmante petite ville endormie, puis la délicieuse route qui menait à la maison.

Lucy était couchée sur le siège arrière de la voiture, tandis qu'Angel avait pris sa place préférée, à l'avant, avec moi. Une fois les hamburgers dévorés par chacun de nous, nous sommes repartis. Je me souviens de ce jour aussi nettement que si c'était hier.

Environ à mi-chemin de cette route de campagne vers la maison, je me suis sentie bizarre. J'étais étourdie et un peu nauséeuse. Ma vue devenait de plus en plus floue. Des picotements traversaient mon corps, pas comme un membre qui s'engourdit parce que le flux sanguin a été coupé quelque temps, mais plutôt comme si mon sang bouillait.

« Mon Dieu, mais que se passe-t-il ? » J'ai trouvé un endroit pour me stationner sur le côté de la route et attendre que ça passe. J'ai ouvert les fenêtres, rejeté ma tête en arrière sur l'appui-tête et j'ai essayé de prendre de profondes respirations pour me calmer. Je ne savais pas quoi faire d'autre. « Qu'est-ce qui... ? »

Avant ce jour et pendant les trois années précédentes, ce que j'avais traversé ressemblait plus à une maladie palpable. Comme les symptômes étaient similaires au diabète et que j'avais trouvé comment les gérer — du moins, pour la plupart —, j'étais en grande forme. Oh, j'ai eu des mauvais jours quand je n'arrivais pas à contrôler mon taux de sucre, mais en général, ce n'était pas gênant. J'étais assez opérationnelle : je gérais ma compagnie de courtage, j'écrivais les fins de semaine et j'étais extrêmement reconnaissante que l'ensemble de « leur » travail dans l'augmentation de mes fréquences — qui j'étais sûre, venait de la Lumière — se passe la plupart du temps la nuit.

De toutes façons, ne subissais-je pas cette augmentation de fréquences pour le bien de l'humanité et de la Lumière ? Alors, qu'est-ce qu'un léger inconfort par rapport à une cause si honorable ?

Il a fallu plus d'une heure avant que je puisse voir suffisamment clair pour reprendre la route. Bien que j'étais encore confuse et que j'avais peur, je pensais que le pire était passé, et nous sommes donc repartis pour la maison.

Je rentrais dans mes propres « bas-fonds ». Si j'avais su les indescriptibles souffrances qui m'attendaient, j'aurais roulé directement jusqu'au magasin d'armes le plus proche pour m'achever !

Les bas-fonds

Après trois ans à jouer avec mon balancier et à parler avec mon amie visionnaire, j'ai eu un aperçu — du moins, c'est ce que je croyais — de ce qui se passait. Je m'étais, semble-t-il, engagée avec la Lumière pour un certain travail expérimental sur mon corps, même si personne ne m'avait dit de quoi il s'agissait, ce qui m'avait d'ailleurs fâchée.

Dans nos sessions d'entraînement et de *channelling*, mon amie visionnaire a continué à parler du fait que je construisais un double shamanique, peu importe ce que c'était, mais quand je demandais « pourquoi », la réponse était toujours vague, du genre : « pourquoi pas ? ».

Je ne savais toujours pas comment mettre fin aux mensonges et aux manipulations de mon balancier, alors la plupart des réponses à mes questions étaient tout, sauf satisfaisantes. Je pouvais avoir d'abord droit à « ceci », puis c'était « cela », et ce, pour la même question. Plus les énergies s'intensifiaient au cours de la journée, plus mes questions fusaient à la vitesse des balles d'une mitraillette :

« Suis-je vraiment en train de créer un double dans une autre dimension ? » « Oui. »

« Vous voulez dire comme faire bifurquer mon corps ? » « Oui. »

« Est-ce que c'est dû strictement à la Lumière ? » « Oui. » Non-sens.

« Est-ce que ça prendra plus d'un mois ou deux avant que ce soit fini ? » « Non. » Super !

« Est-ce que ça signifie que ce sera alors complètement fini ? » « Oui. » Encore super !

« Est-ce que ça a un quelconque rapport avec les ténèbres ? » « Non. » Mais bien sûr !

« Est-ce que je vais beaucoup souffrir ? » Aucune réponse, juste un balancement dans le milieu.

« Est-ce que ça va arrive à d'autres personnes ? » « Oui. »

« Beaucoup ? » « Oui. »

« Est-ce que nous avons tous le même genre de contrat ? » « Non. » Je pense que celle-là est exacte.

« Bien, qu'est-ce que ça signifie ? » Pas de réponse.

« Je ne pourrai pas dormir cette nuit avec ces horribles énergies. Pouvez-vous faire quelque chose ? » « Oui. » Ils n'ont jamais rien fait.

J'étais manipulée par mon balancier, manipulée par qui que ce soit qui faisait du *channelling* à travers mon amie bien attentionnée, manipulée par mon régime et mes suppléments alimentaires, et manipulée par rapport à ce qui était en train de m'arriver. Et ce qui m'arrivait était majeur, c'est le moins qu'on puisse dire.

Il devenait de plus en plus difficile pour moi de gérer ma compagnie de courtage, car mon niveau d'énergie diminuait quotidiennement. Les picotements qui me terrifiaient et me donnaient l'impression d'être frite au micro-ondes pendant des heures, sont devenus si douloureux que je pensais devenir folle.

Mon amie qui recevait du *channelling* pouvait seulement ajouter des déclarations ridicules du genre : « Oui, nous savons que vous êtes allée au-delà de votre contrat avec nous, et que votre corps a atteint cet état au-delà de ce que l'endurance humaine peut supporter, mais si vous voulez simplement utiliser votre corps pendant un peu plus longtemps, le pire sera derrière vous. » Heu... Est-ce que c'est la Lumière qui parle ? Est-ce que ce sont mes gentils et affectueux guides qui prennent soin de moi ?

Une année s'est écoulée pendant laquelle je passais plus de temps *dans* mon lit qu'à l'extérieur. Mes pauvres chiens étaient déprimés, ne faisaient plus d'exercice, n'avaient plus d'attention, aboyaient ou hurlaient souvent, et faisaient de leur mieux pour trouver un endroit où se cacher quand je me mettais à crier ou à déclamer des tirades, que je semblais incapable d'empêcher.

Pendant mes crises frénétiques et désespérées, je lançais ma vaisselle en porcelaine partout dans la maison, je brisais des pots de fleurs, cassais les plats des chiens, déchirais mes livres, et m'en prenais à tout ce qui était sur mon chemin. Si quelqu'un a été témoin de mes accès, très fréquents, de rage, il a dû penser que j'étais une candidate pour la camisole de force. En fait, j'aurais été plutôt d'accord avec lui, car j'avais l'impression d'avoir complètement perdu la carte. Plus souvent qu'autrement, je le souhaitais. Au moins, l'aliénation offrait un soupçon de soulagement.

Aidez-moi, par pitié !

Après un an et demi de ce genre de torture, j'ai réussi à vendre ma compagnie de courtage. Quel soulagement ! Plus de coups de téléphone, ce que je détestais profondément, peu importe qui était à l'autre bout de la ligne, — que ce soit mes amis ou non. Je ne voulais pas en parler. Je ne voulais parler à personne.

À l'époque, les symptômes de cette présumée bifurcation étaient devenus si insupportables et ma peur si grande, que je savais que je devais trouver un moyen d'en sortir. Ma peur n'était pas de mourir, car ça ne m'inquiétait plus depuis bien longtemps. Ma peur, c'était que cette indescriptible torture se poursuive et ça, il n'en était plus question, que ce soit pour la Lumière, pour les ténèbres ou pour le super loto. J'étais en train de perdre la raison après les souffrances physiques, et j'avais, à ce moment-là, recommencé à boire, après près de vingt ans dans le programme des Alcooliques Anonymes.

Mon amie, qui recevait du *channelling*, commença à ressentir les mêmes symptômes, mais ils semblaient moindres que tout ce que j'avais traversé. Elle me suggéra fortement de recommencer à travailler, de revenir dans la vie, de faire tout ce qui pourrait me rendre moins disponible à ces énergies, qui à ce moment-là, nous en étions convaincues, n'étaient pas toutes illuminées par la Lumière. Puis, nous avons mis le sujet de côté avec la plus grande délicatesse, comme si ça ne pouvait pas être vrai. L'alcool m'a aidée à soulager certaines douleurs physiques quotidiennes, mais pas ma peur panique. À l'époque, mon balancier me disait des choses que je ne voulais pas entendre, comme « oui, les ténèbres sont impliquées » et ne me disait pas « comment » ou « pourquoi ».

Un jour, j'avais une réponse et le lendemain, j'en avais une autre, pour la même question. Les séances hebdomadaires avec mon amie me permettaient de parler à quelqu'un pendant une demi-heure de ce qui se passait et une autre demi-heure avec son *channelling* qui, je le sentais, me mentait la plupart du temps, bien que ce ne soit assurément pas la faute de mon amie.

Rien n'était cohérent. Rien ne semblait vrai. Rien ne marchait. J'en suis même venue à parler de suicide et ça n'était pas pour rire.

Selon mes instructions, mon éditeur a mis fin aux entrevues et aux conférences sur mon livre. Le livre se vendait très bien et je prenais la plus belle voix que je pouvais quand je parlais au téléphone avec ma maison d'édition, de peur qu'ils ne pensent qu'un de leur auteur de best-seller, dont les livres étaient traduits jusqu'ici en sept langues, était devenu complètement cinglé.

« Chers docteurs... »

J'étais incapable de décrire mon stress physique à personne, surtout à mon amie *channelling*. Après tout, jusqu'à ce que mes fréquences commencent à augmenter pendant les trois premières années, j'avais toujours été une femme d'une énergie exceptionnelle et en pleine forme. Même au cours de ces trois difficiles années, je continuais à tondre mes acres de pelouse, à transporter du gravier pour l'étendre dans la grande allée et à construire des clôtures. Et pendant des années, je parcourais tout le pays pour rendre visite à mes amis dans toutes sortes d'endroits merveilleux : des îles, des montagnes, des rivières et des villages pittoresques. La vie avait du bon et cette affreuse tournure des événements n'avait vraiment aucun sens.

Finalement, je devais y mettre un terme. Je n'en pouvais tout simplement plus. En désespoir de cause, je me suis tournée vers Internet et des titres comme « suicide assisté par un médecin ». J'ai découvert qu'aux Pays-Bas, on n'a pas besoin d'être en phase terminale pour être « traité », mais bien sûr, il faut subir une évaluation psychologique et respecter la loi à la lettre. Bien qu'il était clairement indiqué qu'ils prenaient rarement des patients en dehors de leur pays, tout ce que j'ai vu, c'est le mot « rarement ». J'ai alors commencé mon offensive.

Chers docteurs, comment et par où dois-je essayer de vous expliquer cette histoire incroyable ? Tout ce que je peux faire, c'est vous dire ce qui s'est passé et espérer du plus profond de mon être que, que vous me compreniez ou non, vous ressentirez dans votre cœur la possibilité d'alléger mes intolérables souffrances. D'ailleurs, je ne suis pas sûre du tout d'y comprendre quelque chose moi-même. Je suis à la recherche d'un médecin qui serait disposé à mettre fin à une vie devenue insupportable — la mienne — et sans aucun espoir apparent de change-ment. »

J'en suis venue à leur parler de ma personnalité pétillante, de ma compagnie de courtage, de mes livres (je leur en ai envoyé en allemand) et de mes conférences (je leur ai envoyé des cassettes). Je leur ai dit que dans mes séances de *channelling*, on m'avait informé que près de 100 personnes parmi nous sur la planète traversaient les mêmes souffrances en ce moment, mais qu'on traversait « quoi », je n'en étais pas sûre, sauf qu'on m'avait dit que ceci continuerait jusqu'à ce que mon corps s'effondre.

J'ai fait de mon mieux pour leur dire que mon corps était scindé dans une dimension supérieure (mon Dieu, j'ai dû passer pour une folle !) et que j'étais aussi utilisée comme conduit d'énergie, ou une sorte de mise à la terre, pour amener de toutes nouvelles fréquences sur cette planète (il est vrai qu'elles étaient nouvelles, mais je ne comprenais pas le but de mon implication avec Psi à l'époque), mais que peu importe ce qui se passait, j'en avais assez d'être électrocutée. Le meurtre de ce corps tandis qu'un autre se construisait (ce qui, d'après ce qu'on m'a dit plus tard, venait des énergies de Psi !) était terrible. Je leur ai dit que s'ils ne pouvaient pas m'aider, j'en viendrais à m'acheter une arme.

Puis, je me suis lancée dans une longue dissertation sur les fréquences qui changeaient dans mon corps, et sur la planète, et j'ai raconté comment quatre autres personnes qui avaient traversé la même horreur s'étaient déjà suicidées (mon amie et mon pendule me l'avaient certifié), car leur corps ne pouvait simplement plus résister au stress de la torture, etc.

Je leur ai dit que je sentais chaque jour une partie de mon être s'étirer dans un néant horrible et je leur ai parlé de mon insupportable fatigue et de ma dépression.

Je leur ai dit combien il était difficile pour moi de marcher chaque jour, et même simplement de sortir de mon lit.

Je leur ai dit que je me sentais totalement désorientée et confuse, et que je n'avais plus du tout d'appétit (je ne mangeais qu'environ d'une demi-tasse de nourriture par jour).

Je leur ai dit que je me sentais comme frite à l'intérieur, ou brûlée, ou électrocutée ; que ma vision devenait complètement floue quand les énergies étaient intenses ; que nourrir les chiens me prenait plus d'une heure.

Je leur ai dit que j'avais de la difficulté à respirer, que je me traînais dans la maison au lieu de marcher, que je ressentais la mort partout autour de moi, que je pleurais souvent et avais des crises de rage, et que je souffrais d'une terreur et d'une panique indescriptibles.

Je leur ai dit que j'avais l'impression qu'on m'ôtait ma peau, que je ne dormais quasiment plus, que ça empirait chaque jour et que je perdais peu à peu le contrôle de mes émotions.

Je leur ai dit que je ne pouvais plus supporter de parler à quelqu'un au téléphone, notamment à mes amis, et que je vivais en recluse, comme un ami qui était passé par là lui aussi, l'a si bien décrit.

Je leur ai dit que je buvais, que mes examens médicaux n'étaient pas concluants, que je devais me voûter, me traîner et être près de quelque chose de solide pour me déplacer.

Je leur ai dit que le matin, je ne pouvais rien dire à mes chiens parce que mes lèvres étaient paralysées, que d'autres personnes devaient acheter ma nourriture et que, parfois, je pensais être capable de conduire, mais que je n'avais plus aucun sens de l'orientation.

Je leur ai dit que j'avais l'impression de peser plus de 200 kilos, alors qu'en vérité, j'en avais pris 18 en seulement quelques mois à cause du stress, comme tous les corps le font.

Je leur ai dit que, à part le fait d'être électrocutée, les douleurs aigues aiguës arrivaient maintenant dans ma gorge, mon cœur (pas étonnant), mes jambes, mes nerfs, et pire que tout, mes aines, au point où je ne pouvais plus marcher sans canne et sans l'aide de mes amis.

Je leur ai dit que j'avais peur de sortir, car je devais descendre deux marches, que je toussais tous les matins, que j'avais la diarrhée, et que je vomissais, souvent tout en même temps.

Je leur ai dit que mon visage ressemblait à un homard enflé, tandis que le reste de mon corps exhibait des tâches rouges et des pois blancs.

Je leur ai dit quelque peu timidement que j'étais si faible que je ne pouvais généralement pas prendre de douche plus qu'une fois aux deux semaines, car je n'avais pas la force de lever mes bras pour me laver ou m'essuyer.

Puis, enfin, je leur ai dit une foule d'idioties que je croyais vraies à l'époque : « Mesdames et Messieurs, médecins de profession, je veux faire tout ce que je peux pour l'humanité, mais je sais maintenant que j'ai donné tout ce que je pouvais et que je n'ai plus rien à donner. C'est une torture que je ne peux tout simplement plus endurer. »

Il m'a fallu deux semaines pour écrire cette lettre, mais j'ai fini par la mettre dans un colis avec mon super dossier de presse, des vidéos de mes conférences, de la publicité de mon programme multi-media, des cassettes audio de mon livre que j'ai enregistrées avec une copie de *Excusez-moi...* en allemand (qui, j'en étais sûre, les impressionnerait). Puis, dans un effort monumental, né de l'espoir d'échapper à cette horreur, je suis allée poster mon colis.

Mon amie visionnaire avait canalisé qu' « ils » auraient préféré que je ne le fasse pas, mais qu'ils m'aideraient néanmoins si la réponse des Pays-Bas était « oui », ce qui, disaient-ils, serait probablement le cas. En fait, j'étais aux anges.

Une femme autrefois dynamique, forte et vigoureuse, qui n'avait aucun symptôme physique curable signe de mauvaise santé, attendait donc maintenant anxieusement une réponse pour mettre fin à ses jours. Elle n'est jamais venue. Deux mois plus tard, après avoir contacté les gens des Pays-Bas par courriel, ils m'ont informée qu'ils n'avaient jamais reçu mon colis. En effet, mes « non-amis » dans le monde occulte ont avoué qu'ils s'étaient organisés pour que le colis soit « perdu » afin de pouvoir utiliser mon corps un peu plus longtemps pour tout ce qu'ils avaient à faire. Si vous voulez savoir la vérité, j'étais dévastée.

« Au nom de la Lumière... »

Le courage n'a jamais été un des mes points forts. Montrez-moi des montagnes russes et regardez-moi partir en courant. Dites-moi que les routes l'hiver ont des petites taches de glace noire et je me prive de manger au lieu d'aller au supermarché. La pensée de mettre un pistolet sur ma tête me faisait presque le même effet, car je n'avais pas ce courage. Alors, je râlais, je m'énervais, je buvais, je me tenais loin des gens et du téléphone, et je sanglotais sans pouvoir me contrôler, et ce, en permanence.

À l'époque, je savais que tout ça avait peu à voir avec la Lumière, et que si c'était le cas, ce fait avait été pour le moins voilé.

Ma vieille amie à quatre pattes, Lucy, âgée de onze ans, commença à me ressembler et à agir comme moi. Il m'a été dit, par le biais de mon amie *channeller* et mon balancier que Lucy était aussi utilisée. Mon Dieu ! À qui le tour ? Je me suis demandé si je devais la faire piquer, car elle avait beaucoup de mal à se lever le matin et je savais que ça n'était pas à cause de son arthrite, qui était maintenant sous contrôle. Parce qu'elle tremblait comme si elle était saoule, et qu'elle ne jouait plus avec Angel ni ne faisait plus attention à elle, je pensais qu'elle devait être piquée pour lui épargner de souffrir. Est-ce que quelqu'un pouvait faire la même chose pour moi ?

Mais c'est alors que quelque chose s'est produit. J'étais assise dans ma chaise habituelle, le regard dans le vide, et je pouvais rester ainsi pendant des heures (c'était, semble-t-il, la seule activité dans laquelle je pouvais m'engager activement). Tout à coup, je me suis levée dans un accès de rage et j'ai crié : « Au nom de la Lumière, je veux absolument des réponses et je les veux maintenant. »

Apparemment, la partie de mon mélange qui était Lumière avait finalement réussi à se frayer un chemin jusqu'à moi et avait mis ces mots dans ma bouche.

« *Au nom de la Lumière... !* »

Des mots magiques.

Des mots qui ont levé le voile.

Des mots qui allaient m'offrir un nouvel espoir, et enfin, une vie.

Je savais que je ne pouvais pas poser de question si j'étais en colère, peu importe ce qui ou qui répondait par le biais de ce fichu balancier. Mais je sentais aussi un changement, comme si une vieille Ford de 1937 se transformait en bolide. Quelque chose était en train de se passer. Est-ce que ça venait de la Lumière ? Mon Dieu, était-ce tout ce que j'avais raté ?

Je commençais chaque question par : « Au nom de la Lumière, je demande... »

« Est-ce que Lucy a été manipulée par Les Autres ? »
« Oui. »

« Devrais-je la faire piquer ? » « Non. »

« Non ? Est-ce vraiment la vérité ? » « Oui. »
« Est-ce qu'elle se rétablira ? » « Oui. »
« Mais comment ? Comment pourra-t-elle se rétablir si elle est utilisée ? Vous me dites qu'elle le fera ? » « *Oui !* » (Le balancier tourna à toute vitesse en décrivant un grand cercle vers la droite, ce qui voulait dire : « Oui, complètement ! C'est ce que nous disons et c'est ce que ça veut dire ! »)

« Ai-je été utilisée par Les Autres ? » « Oui. » Extra ! C'était la première réponse directe que j'avais obtenue.

« Est-ce que ces conneries vont s'arrêter bientôt ? » Le balancier fit un demi-tour vers la droite, ce qui voulait dire : « C'est possible, mais ça n'est pas sûr. » Grands dieux, J'avais mis le doigt sur quelque chose.

Les réponses ne venaient pas durant la nuit, car mes questions n'étaient jamais les bonnes. Je découvrais que mes guides, mon Guide Principal, ma conscience et mes engagements avec la Lumière avaient été utilisés par Les Autres à titre d'expérience. Une conséquence du marché de Abe. Ouah !

Je découvrais que des millions de personnes étaient à présent manipulées et utilisées par Les Autres, simplement en raison de leur mélange.

Je découvrais que chaque personne sur cette planète était une proie potentielle pour traverser le même enfer que j'avais vécu, le même type de souffrances. J'avais en effet été utilisée par Les Autres pour être conduite à l'extérieur de cet univers où des parties de mon être avaient été apportées pour Dieu sait quoi.

Je découvrais que le marché entre Abe et son frère venait d'être rompu, car maintenant, tous les coups étaient permis dans la guerre de la Lumière.

Aussi longtemps que je commençais mes questions avec « Au nom de la Lumière », j'obtenais des réponses directes. Mai si posais les même questions sans ça, j'obtenais une réponse entièrement différente. Deux et deux faisaient finalement quatre, pas cinq. Maintenant tout ce que je devais faire, c'était trouver la clé pour mettre fin à cette horreur. Je savais qu'il fallait que ce soit pour bientôt sinon mon corps allait lâcher. Ma nouvelle peur était devenue que mon pauvre corps assiégé ne tienne pas le coup avant que j'aie la chance d'obtenir les précieuses réponses aux questions que je me posais depuis des années. Autant je voulais laisser tomber, autant je voulais encore plus de réponses.

Halléluia, un ami

Étant donné que j'avais fini par perdre presque tous mes amis, quand un nouveau s'est présenté, qui avait traversé pire que ce que j'avais subi, je lui ai sauté dessus comme un tigre affamé. À ce jour, je n'ai jamais rencontré cette nouvelle amie, mais pour moi, elle a été un joyau encore plus précieux que la Vie elle-même.

Bailey était, et est, un individu hautement spirituel et éclairé. Sa quête d'un éclaircissement spirituel allait beaucoup plus loin que la mienne et était beaucoup plus intense, mais ses souffrances lui étaient devenues insupportables. Néanmoins, au milieu de si terribles douleurs, elle m'écrivait ses pensées, me décrivait ses douleurs et sa détermination. Bailey était devenue mon sauveur émotionnel.

Avec moi, Bailey avait vécu la routine du « professeur *channeller* », toutefois elle voyait sous un angle si différent les demi-vérités qui venaient de ces sessions, que ses interprétations devenaient une aventure — et pas toujours une joie — que je voulais vivre.

Contrairement à moi, qui ne voyais rien, n'entendais rien (sauf en pensées) et ne sentais rien, sauf une douleur insupportable et affaiblissante, Bailey semblait tout voir et c'était plus qu'une torture. Elle voyait les entités grouiller le long de ses jambes. Elle les voyait remonter, puis faire le tour, puis aller dans et hors de son torse. Elle les sentait sortir des choses de son cerveau et de sa colonne vertébrale. Elle voyait de petites lumières roses embrouiller ses courriels quand elle essayait de me décrire ce qui lui arrivait.

Elle savait que des parties d'elle étaient ôtées de son corps comme son code génétique, ainsi que des parties de son tissu cérébral et des sections de son second cerveau qui se trouve dans le plexus solaire, mais elle ne savait pas pourquoi. Elle savait seulement qu'on abusait d'elle.

Nous avons souffert ensemble quotidiennement par le biais de nos courriels pendant plusieurs mois. Bailey pouvait passer des heures à mener des recherches sur Internet en visitant des sites de *channelling* variés, en sachant que la plupart, maintenant, sont très ordinaires, mais qu'on peut y trouver une parcelle de vérité ici et là.

Comme moi, voici tout ce qu'elle avait saisi : un peu d'honnêteté ici ou là qui pourrait s'intégrer, comme un morceau d'un gigantesque puzzle, à l'endroit parfait pour créer — enfin — une représentation de la vérité.

Bailey avait subi ces horreurs pendant un an ou plus que moi. Mon Dieu, comment un humain peut-il survivre à ce genre de châtiment physique et émotionnel ? En plus, elle a su, longtemps avant moi, que Les Autres savaient s'y prendre avec elle — et avec nous. Cette pensée n'était pas particulièrement séduisante.

Et il y avait d'autres de ses amis qui subissaient aussi ce cauchemar indescriptible. Tout cela commençait à avoir un sens pour moi, mais je n'aimais pas ce que ça représentait. Même pas du tout. C'était très laid. C'était minable. C'était dégoûtant.

Comment pourrais-je jamais remercier cette femme, je ne le saurai jamais, mais grâce à son angoisse inconcevable mélangée avec la mienne, j'ai enfin cessé de me laisser abattre pour trouver les morceaux manquants. J'étais décidée à trouver coûte que coûte le moyen d'arrêter cette incursion injuste de la race humaine, peu importe ce que je devais endurer pour obtenir cette réponse. Oui, je le ferai. Nom d'un chien, je le ferai !

OOO-UUUU-IIIIII !

Mon balancier agissait comme un petit chien tout juste sorti de sa cage pour la première fois de sa vie. Tant que je commençais mes questions par « Au nom de la Lumière... », il n'y avait aucune contradiction, aucune incohérence. Mon Dieu, c'était comme trouver la Mecque, partout où on se trouve. C'était comme obtenir les réponses de l'univers jamais révélées avant moi dans toute leur gloire longtemps dissimulée. C'était franchement le paradis.

Oh, bien sûr, je continuais à me sentir comme un morceau de viande trop cuit, mais ça allait. Tout ce que je devais faire, c'était trouver la bonne question. Trouver la bonne question. Mais trouver la bonne question, ça n'était pas aussi facile que je le pensais.

Puis, un jour terrible, mes guides ont recommencé à se jouer de moi, même avec « Au nom de la Lumière... » au début. Ah non ! Ça n'avait aucun sens. Qu'est-ce qui se passait ?

Leur intervention n'était pas finie. Mes réponses étaient encore une fois faussées, dingues, en parfaite contradiction avec ce que je croyais être la vérité ou avec les réponses que j'avais obtenues avant. ZUT ! Qu'est-ce qui se passait ? Est-ce que les bonnes réponses n'avaient été qu'un rêve ? Par pitié, non ! Était-ce vrai ?

Comment peut-on expliquer le moment où on « comprend » ? À un moment particulier, vous savez que c'est ça. C'est ce que vous attendiez. C'est le pot aux roses. J'aimerais pouvoir vous dire comment ces questions ont commencé avec moi, mais je ne peux pas. Elles sont juste arrivées.

« Dois-je changer mon équipe de guides ? » « *Oui !* »

Le balancier tourna comme un fouet déchaîné.

« Est-ce tout ce que je dois faire ? » « *Non !* » Le balancier agissait encore comme un enfant perdu dans une confiserie.

J'avais réfléchi pendant longtemps, et maintenant, c'était clair comme de l'eau de roche.

« Dois-je changer ma principale entité, ou mon Guide Principal ? » C'était comme si le balancier allait m'embrasser. « OUI ! »

« Est-ce que c'est tout ? » « Non. »

« Et bien, tout ce qui est parti, c'est ma conscience, et j'ai déjà changé tout ce qui devait être changé, non ? » « NON ! » Incroyable ! J'avais l'impression que l'objet remonterait et me sauterait au visage.

« Bien. Je continue à devoir changer mon mélange de conscience ? Zut ! Je n'aime pas faire ça. Peu importe, est-ce que je dois vraiment le faire ? » « OOO-UUUUIIIIII ! » Le pauvre petit morceau de pierre volait comme s'il avait été piqué par une guêpe.

« En êtes-vous sûrs ? Est-ce vraiment tout ce que je dois faire, hormis changer mes guides et mon entité/Guide Principal ? » « *OOO-UUUU-IIIIII !* » J'ai saisi le message.

Les dernières

Le lendemain, j'ai déclaré trois de ces intentions pour nettoyer mon « mélange ». Je me fichais de ce qu'il faudrait pour me libérer des ténèbres, je voulais tout simplement le faire. Je pouvais sentir les effets du changement de conscience s'installer, comme si j'étais un peu dans les vapes. Il m'a été demandé si je pouvais aller marcher pour aider à intégrer les nouvelles énergies. (Je l'avais fait avant et je ne savais toujours pas pourquoi je devais le refaire. Personne ne me l'a dit.)

OK, allons marcher. Je me sentais déjà mieux, alors j'ai pensé que j'avais assez de force pour au moins marcher un peu. Mon rythme cardiaque devenait meilleur et le sang qui arrivait au cerveau était alors en mesure d'aider la pauvre entité (ou les pauvres entités) d'une fréquence supérieure à faire pénétrer cette petite partie d'elle-même (d'elles-mêmes) dans un espace et une structure de fréquence inférieure. Ouah !

Et bien, voilà, vous avez compris. Marcher aide. Donc, trois fois par jour pendant chaque fois une demi-heure et pendant trois jours, j'allais dehors ou je marchais sur mon tapis de jogging. Je marchais et je pouvais difficilement le croire ! *Marcher* ! Mon Dieu, je marchais !

Toutes les questions que je posais commençaient toujours par « Au nom de la Lumière... ». Pendant quelques jours, j'ai vérifié ce que ça donnait, pour voir si ce cauchemar était vraiment fini. « Est-ce que je dois faire quelque chose d'autre ? »

« Oui. » J'étais furieuse.

« Vous m'avez dit que j'avais juste ces trois choses à faire ! Quoi d'autre encore ? Hein, QUOI D'AUTRE ENCORE ? »

Mes bons vieux guides de Lumière savaient ce qu'ils faisaient et me connaissaient très bien. S'ils m'avaient surchargée avec ces nouvelles étapes, et avec les trois premières, ils savaient que dans mon état, j'aurais été confuse et que je n'aurais probablement rien fait. Alors, ils ont attendu.

« Bon, d'accord. Alors, maintenant ? Est-ce que c'est la dernière ? »

« Oui. »

« Promis ? » « Oui. »

« OK, alors, c'est quoi ? » Les pensées affluaient soudain en moi en cascade, comme l'eau de la douche. Quatre autres choses simples à faire et chacune avait un sens très clair pour moi, notamment la Numéro Un qui impliquait ma chienne, Lucy.

Une semaine plus tard, après avoir fait toutes ces choses, Lucy agissait à nouveau comme un vrai petit diable pour la première fois depuis des années. J'étais en voie de guérison et je savais que ce livre devait être écrit aussi vite que possible.

Voici les dernières étapes qui ne sont rien que des déclarations très simples — mais pleines de bon sens :

1 – Au nom de la Lumière de Dieu que je suis, je demande à toutes les choses, animées ou inanimées, à l'intérieur ou autour de moi, de ma maison, de mon jardin, de l'endroit où je

travaille, de cesser immédiate-ment d'être utilisées comme « balises directionnelles » par ceux qui ne sont pas 100 % Lumière pure. Je déclare en outre que lorsque ce sera fait, ce sera irrévocable et permanent.

(Lucy avait été utilisée comme une balise directionnelle par Les Autres, comme beaucoup d'autres choses.)

2 – Au nom de la Lumière de Dieu que je suis, je demande qu'aucune énergie, entité, ou être ne puisse se trouver n'importe où autour de moi à aucun moment, qui ne soient à 100 % Lumière pure. Je déclare en outre que lorsque ce sera fait, ce sera irrévocable et permanent.

(Cela ne veut pas toujours dire les « mauvaises choses ». Ça peut aussi signifier simplement que trop de « choses non nécessaires » planent autour de nous tout le temps, occasionnant des problèmes.)

3 – Au nom de la Lumière de Dieu que je suis, sachez que j'annule par le présent acte tous les contrats et/ou les accords que j'ai signés avec CHAQUE entité, dans tous les temps et toutes les réalités, qui n'étaient pas dans mon meilleur intérêt ou dans celui de la Lumière, ou qui ont été signés avec des entités qui n'étaient pas à 100 % Lumière pure. Je déclare en outre que l'annulation de tels

contrats doit être irrévocable et permanente dans tous les temps et toutes les réalités.

La dernière n'est pas vraiment une étape, mais je la mets ici comme telle, car elle sera plus facile à se rappeler.

4 – Ne demandez jamais, jamais, de conseils sans exiger que ce qui en ressortira soit 100 % Lumière pure, ou sans déclarer, si vous utilisez un « balancier », la formule usuelle « Au nom de la Lumière ».

D'ailleurs, il m'a été dit que c'était mieux de déclarer tout cela, y compris ce qui était dans le chapitre précédent, à haute voix. Il m'a été dit que ça n'était pas absolument nécessaire..., mais que c'était une bonne idée. Bizarre, mais pourquoi pas ?

Les jours qui ont suivi étaient encore mieux que quand on tombe amoureux, mieux que gagner au loto. C'était probablement les jours les plus heureux de ma longue vie. Je sortais enfin vraiment de ces tortures dans lesquelles je m'étais embourbée.

Lucy redevenait le chien que j'avais presque oublié. Mon esprit fonctionnait, doucement au début, mais je pouvais sentir mes rouages rouillés se décrasser. Après trois ans d'un enfer inimaginable et trois autres années de souffrances auparavant, enfin, j'en sortais.

Si vous passez par là maintenant, vous pouvez en sortir aussi. Si vous n'avez pas encore été touché et que vous déclarez ces étapes, vous ne le serez jamais. Ça n'est pas plus compliqué que quelques minutes de concentration sérieuse.

Oh toi homme vivant, *tu... n'est... pas...mal... du tout !*

Chapitre huit

Nourrir votre nouvelle équipe

Donc, maintenant, vous êtes lavé et poudré comme un bébé avec votre nouvelle et très dévouée équipe d'entités de Lumière. Tant mieux pour vous !

Si vous vous sentez encore un peu dans les vapes avec le changement de conscience, passez autant de temps que possible à marcher d'un bon pas plusieurs fois par jour. Ce sentiment partira en un jour ou deux.

Oui, mais...

Soit, nous avons été trompés à propos de notre libre arbitre, tandis que nous étions sous forme humaine. Mais c'était nécessaire pour réaliser la naissance à venir.

Soit, on nous a dit que nous étions tous des enfants des étoiles, engendrées par la Lumière. Bon, c'est vrai, mais dans l'obscurité créée par Les Autres, essayer de trouver cette Lumière en nous a souvent semblé sans espoir.

« Comment ? »

« Où ? »

« Quelle Lumière ? De quoi parlez-vous ? »

« J'ai essayé pendant des années. »

« Je ne connais rien sur les étincelles. »

« Oui, je connais mon étincelle, mais comment puis-je la trouver ? »

« Dites-moi comment. Par pitié, dites-moi comment. »

« Peut-être qu'un autre livre aura la réponse. »

« Ou un autre séminaire. Ou peut-être... »

Nous cherchons et cherchons encore, mais nos vies restent identiques. Nous essayons et essayons plus fort, mais rien ne se passe. Nous allons dans des ateliers, achetons des livres, prions dans des lieux sacrés et méditons à en devenir cramoisi, mais rien ne se passe. Nous savons que nous sommes sur la bonne voie, mais pourquoi cette route vers la Lumière est-elle si escarpée, si désespérément difficile à suivre ?

Jusqu'à maintenant, aucun des grands maîtres qui sont venus aider n'ont été autorisés à nous dire, en tant de mots, ce qui se passait. Oh, ils y ont tous fait allusion et ont tourné autour. Mais aucun ne nous a dit comment — ou pourquoi — tant de liberté dans cet univers avait été accordée aux Autres. Aucun ne nous a dit comment chacun d'entre nous avait été profondément affecté pendant des siècles par la présence des Autres.

Mais les temps ont changé. Cette liberté des Autres ne sera bientôt plus permise. Maintenant, on peut en parler sans prendre de gants, sans craindre les foudres de la Lumière. Toute une partie d'entre nous sera sur la voie de la liberté, pas juste pour la première fois depuis des siècles, mais en fait, pour la première fois, depuis la naissance de l'espèce humaine.

Seules quelque 100 000 personnes liront ce livre, mais leur propre changement affectera la conscience de la masse de façon spectaculaire. On m'a dit que le changement global sera profond, mais bien sûr, pas pour tout le monde. Et c'est sur quoi nous devons nous pencher maintenant.

Laissez faire, laissez faire, laissez faire

Ce monde tridimensionnel dans lequel nous vivons continuera à vivre des situations épouvantables, mais pas à l'échelle du décourageant Jugement dernier qui a si souvent été annoncé.

Néanmoins, les guerres continueront, et en fait, elles s'intensifieront. Les tremblements de terre augmenteront. Le réchauffement climatique s'accélèrera. Davantage d'espèces de la faune continueront à dépérir (car elles se réincarneront dans la Planète Deux, qui est beaucoup plus saine). Les suicides augmenteront. La dépression deviendra une affliction planétaire. Les événements responsables d'un grand nombre de morts grimperont en flèche, etc. Certaines de ces choses seront les effets de Psi, mais la plupart viendront des Autres.

Les Autres resteront ici, faisant leurs affaires, jouant avec nos émotions, se servant de nos codes génétiques et de tout ce qu'ils veulent si frénétiquement, pendant les prochaines années, mais avec une force réduite.

En dehors de ça, nous n'avons maintenant plus qu'une chose à faire, après avoir fait ces étapes, et c'est ignorer — I-G-N-O-R-E-R —, peu importe ce qui se passe dans le reste du monde.

C'est ça, l'ignorer ! Parce que si vous ne le faites pas, vous nourrirez Les Autres avec vos émotions du genre « mais, c'est terrible » qui envahissent notre monde après chaque grande catastrophe.

Ça a l'air cruel ? Vous avez raison, ça l'est. Des centaines de personnes tuées le 11 septembre, des femmes torturées et battues au Moyen-Orient, des tremblements de terre qui tuent des milliers de personnes, des millions de gens licenciés par des compagnies qui réduisent leurs effectifs, deux milliers d'adolescents qui se suicident chaque mois, un grand nombre d'enfants qui sont violés et tués ou kidnappés, des fléaux qui font surface dans des communautés entières (et qui continueront à faire des ravages) ; tout cela, laissez ça de côté. Laissez faire. LAISSEZ FAIRE !

Si vous avez besoin d'envoyer une sorte de sentiment à ceux qui souffrent, envoyez seulement — et j'insiste sur le SEULEMENT — ceci à ceux qui en ont besoin ou qui sont laissés pour compte :

Ça va bien aller.
Vous allez bien aller.
Tout va bien aller.

Envoyez ceci avec amour, pas avec chagrin ou mélancolie, et vous ne nourrirez pas Les Autres. À la place, vous annulerez les effets de Psi, et vous nourrirez votre propre nouvelle équipe de Lumière, au lieu de miner sa force, qui intervient à chaque fois que vous vous plongez dans le syndrome « mais c'est terrible ». De plus, vous enverrez un message d'aide à ceux qui sont touchés, au lieu de les entourer de tristesse, ce qui est si fréquent dans les cas de désastres majeurs.

Laissez faire. Laisse ça de côté. Si vous ne pouvez pas envoyer de mots réconfortants comme « Ça va bien aller », n'envoyez rien.

Changer les habitudes

Si vous avez lu *Excusez-moi, mais votre vie attend*, vous pouvez trouver que c'est redondant. C'est vrai, mais des rafraîchissements et des rappels n'ont jamais fait de mal à personne, n'est-ce pas ?

Et si vous avez lu *Excusez-moi…* et que vous voulez des techniques supplémentaires, bienvenue au club ! Beaucoup de courriels que je reçois me disent combien ce livre était merveilleux, combien il a comblé de longues années d'errance, combien ce fut formidable d'en appliquer les principes, puis… « mais comment puis-je continuer ? Comment puis-je maintenir mon enthousiasme ? »

La plupart du temps, je voulais répondre quelque chose du genre : « Et bien, très cher, quand vous le saurez, faites-le moi savoir ! » Il n'a pas été facile de maintenir de bons sentiments, et dans de nombreux cas, ça n'était pas possible parce que nous subissions trop d'interférence des Autres. Mais maintenant, nous avons un certain pouvoir, et mon Dieu, servons-nous en !

Nous avons à présent une équipe composée d'entités à 100 % de Lumière pure (ou vous l'aurez peu de temps après avoir fait ces étapes).

Imaginez ! Nous avons une équipe qui travaille POUR nous, plutôt que contre nous. Nous avons une équipe qui fait tout ce qu'elle peut dans les paramètres complexes de votre stratégie, de vos désirs, ET, de vos sentiments et émotions, pour apporter une grande joie dans votre vie, un grand bonheur, un grand plaisir. Votre équipe est maintenant entièrement vouée à cette fin. Mais vous devez l'aider.

Les habitudes de toutes sortes ne sont pas faciles à arrêter. Elles font partie de notre mode de vie, de notre façon de penser quotidienne, et de nos réactions. Les habitudes, jusqu'ici, nous ont définis dans nos rôles de Pères, Mères, Frères et Sœurs, Travailleurs, Parents, Électeurs, Amis et Enfants de tout âge.

Malheureusement, la majorité de nos habitudes sont venues délibérément et avec beaucoup de ruse de la part de notre fichu mélange de guidance et de conscience. Mais pas juste depuis cette vie. La vérité, c'est que changer notre mélange en troupe de Lumière ne va pas — je répète, NE va PAS — anéantir par magie nos habitudes, ou nos coutumes, qui ont été enfouies en nous, non seulement à partir de cette vie, mais de notre code génétique physique et spirituel depuis la nuit des temps. Ne soupirez pas de désespoir ; cela peut être changé. C'est tout à fait possible, même s'il *faudra* faire un peu attention.

Nourrir nos gars

Nous devons trouver des moyens de générer des émotions positives, aussi souvent que possible. Pause. Si vous n'avez pas lu *Excusez-moi, mais votre vie attend*, alors je vous suggère fortement de le faire, car tout ce qui s'y trouve est une vérité sacrée, mais en plus, elle est maintenant plus importante que jamais.

Oui, nous sommes des générateurs de flux d'énergie qui transportent avec eux une fréquence vibratoire particulière basée sur les émotions que nous ressentons au moment où nous envoyons ce flux à l'extérieur.

Oui, le plus souvent, nous avons généré des flux de basse fréquence négative dans nos vies. Certaines sont dues aux énergies négatives massives dans lesquelles nous vivons qui ont été générées par le mélange de quelqu'un d'autre. D'autres, depuis peu de temps, sont dues à Psi.

Soit, nous n'avons rien su de cette histoire de fréquences jusqu'à récemment, mais peu importe que nous venions juste d'obtenir cette information ou que nous l'ayons maintenant, le fait est que nous devons porter attention à ce que nous expulsons. Nous devons nourrir notre nouvelle équipe avec toutes les émotions de haute fréquence que nous pouvons. Ceci, seulement, n'est vraiment pas difficile. Mais c'est absolument nécessaire.

Donc, comment produire ce genre de haute fréquence ? Comment passer de ces fichues habitudes dont les vibrations nourrissent Les Autres à de nouvelles habitudes avec des émotions différentes, et qu'est-ce que ça signifie ? Comment passer des habitudes chroniques d'inquiétudes qui nourrissent Les Autres, à quelque chose d'autre ?

Souvenez-vous, tout ce qui est au-dessous de l'octave centrale se trouve dans la colonne négative de fréquence vibratoire, peu importe sa tonalité, et sert de nourriture aux Autres et de mauvaises nouvelles pour vous. Tout ce qui fait, même à distance, que vous vous sentez juste un peu mieux que quelques instants auparavant sera au-dessus de l'octave centrale, fournissant de la nourriture à votre nouvelle équipe et de meilleures situations et événements pour vous.

Bien. Je déteste avoir l'air trop autoritaire, mais la vérité est que si nous ne faisons pas ces choses au moins quelques fois par jour pour cicatriser les blessures des temps passés, il sera extrêmement difficile pour « nos gars » de nous aider dans notre nouveau départ. Et croyez-moi, ils veulent vous aider avec chaque partie aimante de Lumière qui est en eux.

Changer de cap !

Personne, depuis que nous sommes sur cette planète, ne ressent de bonnes énergies positives toute la journée. Pourtant, c'est ce que les livres sur la pensée positive nous suggèrent de faire. « Trouver votre bonheur ». Formidable, mais est-ce que quelqu'un nous a déjà dit comment ? Ou, pourquoi ? En tout cas, pas au cours de ma vie.

« Quand vous êtes heureux, vous êtes en harmonie avec l'univers. » Impressionnant, non ?

« Le bonheur est le génie magique de la vie. » Parfait. Alors, qui a le mode d'emploi ?

Le seul mode d'emploi qui soit, pendant aussi longtemps que nous serons dans cette réalité, consiste à apprendre comment changer de cap plutôt que d'essayer de réaliser un quelconque but impossible à atteindre, comme rester heureux tout le temps. Bonne chance. Ça ne marchera jamais. Mais maintenant, avec notre mélange de 100 % Lumière pure, Changer de Cap ne sera pas aussi dur.

Tout d'abord, souvenez-vous que ce que nous pensons correspond à ce que nous ressentons, et que ce que nous ressentons correspond à la façon dont nous vibrons, et que la façon dont nous vibrons correspond à ce que nous attirons. D'accord, mais qu'est-ce que le Changement de Cap ?

Le Changement de Cap est tout simplement une action que vous décidez d'accomplir pour passer d'une vibration basse à une plus élevée. C'est votre insistance à trouver un moyen de changer — DANS L'INSTANT —, en utilisant votre imagination.

Ceci signifie apprendre à changer — immédiatement ! — en passant de l'habitude d'une douce négativité (quand vous en devenez conscient) à une vibration qui vous fait vous sentir un peu mieux. Immédiatement. Sur-le-champ !

Et bon sang, nous ne parlons pas de choses extrêmes ici ! Nous ne parlons pas de haine, de méchanceté, de ressentiment ou d'un total désespoir (qui seraient tous des MOYENS au-dessous de l'octave centrale).

Et nous ne parlons pas d'euphorie, d'extase, ou du présumé nirvana (tout ce qui serait des moyens au-dessus de l'octave centrale).

Non. Nous parlons d'un ton ou deux au-dessous ou au-dessus du milieu, ce qui est là où la plupart d'entre nous vivent la plupart de leurs vies. Ce sont ces vibrations au-dessus du milieu qui transformeront les choses pour nous, nourriront notre nouvelle équipe et nous apporteront beaucoup plus de ce que nous recherchons dans la vie.

Changer de cap, c'est :

- **Trouver des moyens de se sentir mieux à n'importe quel moment, peu importe ce qui se passe autour de vous.**

- Trouver des moyens de se sentir mieux, quand tout va bien.
- Trouver des moyens de se sentir mieux, quand vous ne voulez pas.
- Trouver des moyens de se sentir mieux quand votre Vouloir n'est visible nulle part.
- Trouver des moyens de se sentir mieux quand ceux qui sont autour de vous sont dans le pétrin.
- Trouver des moyens de se sentir mieux quand vous avez l'impression que tout est contre vous.
- Trouver des moyens de se sentir mieux quand vous savez, que vous êtes absolument sûr, que tout est perdu et fini pour vous.
- Trouver des moyens de se sentir mieux quand vous vous sentez bien, ou OK, ou en forme et que tout va bien.

Changer de cap n'est pas :

- Faire agir les autres comme vous aimeriez qu'ils agissent.
- Essayer de *seeentir* votre désir de sauver quelqu'un, si son intention (qu'elle soit consciente ou inconsciente) est de quitter cette réalité.
- Trouver un meilleur compagnon, ou maison, ou voiture, si vous n'avez pas encore décidé

d'annuler, avec vos vibrations, les sentiments actuels qui sont reliés à ce que vous voulez laisser derrière.

- Utiliser votre passé comme excuse pour n'importe quel sentiment ou pagaïe que vous vivez maintenant (les excuses vibrent comme un MOYEN au-dessous de l'octave centrale).
- Essayer de devenir riche rapidement.
- Essayer d' « arranger » les choses pour votre propre bénéfice.
- Vouloir que tout arrive tout de suite.
- Essayer d'arranger les choses pour les autres.
- Penser que vous devez être heureux toute la journée (croyez-moi, ça n'arrivera jamais).

Immédiatement

Changer de cap est une activité — immédiate — dans laquelle vous vous engagez pour votre propre bénéfice et SEULEMENT pour le vôtre. Les autres peuvent ou non bénéficier de vos efforts, mais ce n'est pas votre rôle dans la vie. Votre rôle est de « le comprendre », c'est-à-dire d'apprendre ce qu'est votre pouvoir énorme et inexploité, maintenant que vous vous êtes libéré vous-même des contraintes méchantes des Autres. Les énergies de Psi resteront avec vous, mais vous serez bien.

Changer de Cap ne signifie PAS faire des miracles immédiats, devenir riche immédiatement, ou quoi que ce soit d'immédiat. Si vous obtenez des résultats rapides, fantastique ! Mais souvenez-vous que nous parlons d'habitudes bien établies non seulement dans cette vie, mais depuis un nombre incalculable de vies passées. En plus de cette douleur — la douleur émotionnelle — se trouve une habitude encore plus désastreuse propre à l'humanité. Il va donc falloir un petit effort, un petit travail, un peu d'attention quotidienne. Pas pendant toute la journée, mais chaque jour. Alors, allons-y.

Voici juste quelques moyens de Changer de Cap immédiatement. Et souvenez-vous, c'est toujours immédiatement, parce que tout ce dont vous avez besoin, ce sont quelques secondes ici, puis encore quelques secondes ici et là, tandis que ça devient de plus en plus facile pour vous.

Seeennntez ce qu'est caresser un petit chien (ou un petit chat, si vous n'aimez pas les chiens). Ce sont des vibrations au-dessus de l'octave centrale qui s'échappent de vous, et c'est tout à fait ce que nous recherchons. OK, maintenant, faites circuler ce même *seeennntiment*, juste pendant quelques secondes :

— **au stylo de votre bureau,**
— **à la poignée de votre porte,**
— **à chaque feu rouge que vous voyez,**
— **à la trace de poussière sur votre vaisselier,**
— **à votre brosse à dents,**
— **à votre ordinateur,**
— **à votre imbécile de patron,**
— **à votre chéquier vide (sans penser forcément à l'argent),**

— à votre serviette dans la salle de bain (si personne ne vous regarde, allez-y et caressez la),
— à l'idiot sur l'autoroute,
— à toutes les voitures vertes sur la route,
— à chaque insecte que vous voyez.

Bien, c'est suffisant. Vous comprenez l'idée. L'idée, c'est de trouver des moyens chaque jour, peu importe comment vous vous sentez dans le moment, de faire circuler des vibrations qui se résument à « Se Sentir Mieux ».

Faites-le, même seulement pendant quelques secondes, quand vous vous sentez minable, furieux ou triste.

Faites-le, même seulement pendant quelques secondes, quand vous vous sentez formidable.

Faites-le autant de fois dans la journée que vous pouvez vous rappelez de le faire. Parce qu'à chaque fois que vous le faites, même pendant dix secondes, vous annulez environ un an de flux négatif. Alors, pas mal, non ?

Si vous pouvez augmenter, en cumulant (pas en une fois), à un total de dix minutes par jour, vous commencerez à voir de merveilleuses choses se produire dans votre vie, à vous faire dresser les cheveux sur la tête. Tout ce qui est nécessaire, ce sont quelques secondes par jour pour passer d'un « bof » normal à une sorte de bien-être inhabituel, peu importe la manière.

Quelques autres idées

Maintenant, voici comment vous pouvez avoir l'air vraiment cinglé, tout en faisant monter vos fréquences intérieures en même temps. Souvenez-vous : ce que nous cherchons à faire, c'est augmenter nos fréquences *naturellement*. C'est parce que nos fréquences ont été forcées anormalement, à la fois personnellement et dans le monde entier, que nous subissons tant de souffrances. Bref, revenons au fait d'avoir l'air cinglé.

CHANTEZ votre liste d'épicerie ! CHANTEZ (aussi fort que vous voulez) à votre corps. FREDONNEZ sous la douche. FREDONNEZ pendant que vous passez l'aspirateur, ou que vous prenez le métro, ou que vous changez les draps, ou que vous allez à une réunion. Fredonnez, chantez, faites ce qui crée — puis libère — la vibration intérieure supérieure. C'est tout aussi efficace que de projeter une émotion à votre poignée de porte. Ces quelques secondes, juste quelques secondes, offriront à votre nouvelle équipe les vibrations nécessaires, qui vous sortiront de l'habitude de la monotonie (où on ne ressent rien) ou d'être toujours sous sédatif.

Une autre chose facile à réaliser — quand personne ne vous regarde — c'est de sourire. Hein ? C'est bien ça, sourire, mais de l'intérieur, pas juste une grimace. *Seeennntir* ce que ce serait d'avoir un bambin qui viendrait vous voir avec quelque chose à vous faire admirer. Vous ne pourriez pas empêcher ce sourire sur votre visage qui viendrait du plus profond de vous. Donc, vous n'avez qu'à créer ce même *seeennntiment*, et hop ! Vous aurez un vrai « Se Sentir Mieux », et passerez de l'octave centrale ou du dessous de l'octave centrale, à un ton ou deux ou trois supérieur. Vous aurez annulé une année ou plus de flux négatif en seulement quelques secondes. Et vous aurez nourri votre nouvelle équipe de ce dont elle a besoin pour vous aider à aller où vous voulez. Ça n'est pas mal pour quelques secondes de concentration.

L'idée générale est de créer de nouvelles habitudes. Ce n'est pas parce que vous avez chassé ces vautours, que nous appelons Les Autres, de votre vie que la fée des dents viendra déposer un bonheur instantané sous votre oreiller. Vous devrez prendre certaines responsabilités et donner un coup de main à votre nouvelle équipe.

Si votre habitude a toujours été (comme ce fut mon cas) une impatience passagère quand la serveuse ne vous apporte pas votre repas à temps, ou que votre compagnon ne fait pas quelque chose comme promis ou comme prévu, ou qu'un préposé ne vient pas quand il serait censé le faire, c'est que vous devez Changer de Cap.

Si quelque chose ne se passe pas comme vous le voulez, alors Changez de Cap pour atteindre un « Se Sentir Mieux » aussi souvent que vous le pouvez. Vous n'avez pas à penser à quelque chose, comme la promotion que vous n'avez pas obtenue, ou votre partenaire qui vous a quitté, ou la monotonie de votre vie. Changez simplement de Cap aussi souvent que vous le pouvez, trouvez le moyen ne serait-ce que pendant quelques secondes de favoriser un « Se Sentir Mieux » et, je vous le promets, la magie opèrera.

Changez de Cap chaque fois que vous y pensez, peu importe comment vous vous sentez. Changez de Cap quand vous vous sentez mal et Changez de Cap quand vous vous sentez bien.

Revêtez ce sourire intérieur et voyez combien de temps vous pouvez le maintenir.

Fredonnez un air, n'importe quand, n'importe où, aussi longtemps que vous pouvez.

Envoyez des émotions chaleureuses partout et maintenez-les de plus en plus longtemps.

Il n'y a rien d'étrange là-dedans. C'est purement physique. Les fréquences attirent les fréquences, c'est-à-dire que ce que vous expulsez trouvera son pareil et ramènera par magnétisme quelque chose vers vous qui correspondra au sentiment que vous avez dégagé. De plus, cela nourrira votre si charmante nouvelle équipe. Il s'agit donc juste ici de Changer de Cap, de trouver des moyens maintenant, puis de se sentir mieux. C'est vraiment tout ce dont il s'agit.

Oh, et pour Psi ? Si vous pouvez trouver 15 minutes chaque jour pour prendre du soleil (même dans des salons de bronzage), cela vous aidera à produire plus de sérotonine nécessaire à votre cerveau. Il existe aussi des substances naturelles que vous pouvez prendre pour produire plus de ce neurotransmetteur, mais cela doit venir de votre médecin ou d'un professionnel de la santé.

Sortir de la routine

Pour que tout ceci fonctionne, la vie ne peut plus être machinale ou routinière pour chacun d'entre nous. Nous allons devoir faire des efforts là-dessus, ou nous nous renfermerons rapidement dans la conscience sociale négative qui nous touche tous, que nous ayons changé notre mélange ou non.

Quand des catastrophes se produisent, lancez un « ça va bien aller » aux victimes, ou Changez de Cap, selon ce qui est le plus facile pour vous, ou encore laissez faire.

Quand vous êtes dans le pétrin, Changez de Cap.

Quand vous vous sentez bien et formidable, Changez de Cap.

En d'autres termes, sortez de l'habitude de rester dans ce qui semble être une vibration normale, et allez vers l'habitude d'en créer une nouvelle. C'est tout ce dont il est question ici.

Mais, c'est évidemment très important !

Et finalement...

On nous a répété sans cesse que le pouvoir de créer notre vie de la façon dont nous voulions qu'elle soit, avait toujours été en nous. On nous a dit ceci jusqu'à ce que nous ne voulions plus l'entendre. On nous a dit que nous créons notre propre réalité. Bien, si c'est si vrai, pourquoi ça n'a pas marché ? Maintenant, j'espère que vous le savez.

Ça n'a pas marché parce que Les Autres travaillaient contre nous.

Ça n'a pas marché parce que maintenant, nous avons aussi la Lumière, avec Psi, qui travaille d'une certaine façon contre nous, mais aussi pour nous.

Nous avons trouvé difficile de rester en dehors de la peur et du désespoir parce que Les Autres travaillaient contre nous.

Envoyer de l'énergie positive a été une bonne chose, pendant quelque temps, mais ensuite, nous sommes retombés dans la même routine de douce, modérée et même pesante négativité, parce que Les Autres travaillaient contre nous.

Alors, ne rejetez pas les torts sur vous et bien sûr, ne rendez personne d'autre coupable non plus. Voici maintenant une nouvelle ère, une nouvelle prise de conscience sans précédent dans les annales de l'humanité.

Nous savons maintenant ce qui nous est arrivé et nous savons les actions que nous, du moins, pouvons entreprendre. Peut-être que ces actions venant de chacun de nous ne changeront que modérément la négativité du monde. Mais une chose est sûre : elles changeront la nôtre.

Alors que vous exécutez ces étapes, peut-être avec inquiétude ou incertitude, peut-être avec doute, peut-être avec hésitation, je vous demande de vous rappeler que vous êtes un enfant des étoiles, engendré par la Lumière.

Je vous demande de vous rappeler que vous n'aurez plus jamais à faire ces rêves de crainte et de terreur.

Je vous demande de vous rappeler que, si vous décidez d'exécuter ou si vous avez déjà exécuté ces étapes, vous changez non seulement votre propre vie, mais le destin de l'humanité d'une façon entièrement nouvelle depuis des millénaires.

Et enfin, je vous demande de vous rappeler comment aimer sincèrement celui que vous êtes, et combien vous êtes honorable pour les actions que vous avez menées, ou avez choisies, ou que vous exécuterez bientôt afin d'éloigner majestueusement l'influence des Autres de vous-même et de votre entourage.

Il m'a été révélé que si vous et chacun de nous faisons cela, l'impact se ressentira à travers tout l'univers, à travers tout l'Être, pendant l'éternité.

Alors, faisons-le.

Épilogue

Tout en moi ne voulait pas que j'écrive ces dernières lignes, mais je sais que dois le faire. Cela peut apparaître comme si ce que vous venez juste de lire était en fait un mensonge et un moyen de me défiler. Ça n'est pas le cas. Croyez-moi, je vous promets que ça ne l'est pas.

Il y a une centaine de personnes sur cette planète, et dans le monde entier, qui feront quelque chose pour la Lumière, qui pourrait ressembler aux choses que j'ai décrites. Mais ce ne sera pas tout à fait pareil, loin de là.

Ces gens se sont engagés à aider à créer un nouveau réseau de Lumière pour cette planète afin de donner un coup de main maintenant, avant la naissance et après la naissance. Mais honnêtement, ce qu'ils subiront n'aura rien à voir avec ce que j'ai traversé. Voici comment cela se passera probablement pour eux :

Une fois que les énergies s'en prennent à quelqu'un, elle peuvent rester — par intermittence — de deux à trois ans. Mais, les personnes concernées vivront des désagréments pendant seulement un jour à la fois (!!!!) — peut-être deux ou trois fois par semaine. Parfois, ces énergies seront désagréables, d'autres fois, elles le seront moins, mais elles ne seront jamais, jamais continues, jour après jour, comme ce fut mon cas.

Ce groupe est d'une certaine façon unique, car il s'est engagé avant de venir ici pour nous aider, sur une voie qu'il savait être serait désagréable. Vous en faites peut-être partie.

J'ai une amie qui était dans ce groupe, et le pire qu'elle a vécu, ce sont quelques jours à passer au lit, d'autres à crier à l'univers que ça s'arrête, bien qu'elle n'avait pas la moindre idée de ce qui se passait, et quelques jours à simplement subir.

Ceci a duré pour elle environ deux ans, par intermittence, le plus souvent sans rien.

Vous devez juste savoir que c'est une possibilité, mais pour l'amour du ciel, ça ne veut pas dire que vous deviez ignorer les étapes de ce livre. Pas du tout… Pas du tout !

Ce qui se passe avec ce groupe, c'est que ces membres agissent comme des conduits pour la venue des énergies de Psi, puis téléchargent ces énergies dans leur réseau, tout autour de la terre. J'aimerais en savoir plus sur le sujet, mais c'est tout ce que je peux vous dire.

Si, une semaine ou deux après avoir fait ces étapes, vous sentez des énergies désagréables, vous êtes peut-être une de ces personnes spéciales. Ne vous inquiétez pas, ce ne sera pas très désagréable bien longtemps. Sachez juste que vous vous êtes engagé à faire une chose extraordinaire.

Si vous enseignez… ou…

Les séminaires, les ateliers, les groupes de travail, les conférences, les courriers, les conseils, les livres, les émissions, les conversations avec des amis ou la famille…

Les étapes de ce livre doivent être révélées à plus de monde possible, le plus vite possible. S'il vous arrive de parler à beaucoup de gens, ou à un petit groupe, ou à une seule personne, pour chaque individu à qui vous parlez qui exécute sincèrement ces étapes, un puissant changement aura lieu dans cette réalité, et toujours, *toujours,* avec un effet domino. Un changement chez une personne en touchera beaucoup d'autres. Donc, vous saisissez l'immense potentiel.

Prenez ce que vous voulez de ce livre (mais s'il vous plaît en indiquant le titre, l'auteur et l'éditeur) et utilisez-le aussi souvent que vous le voudrez dans des séminaires, des ateliers, ou n'importe où.

Si les gens veulent acheter le livre, tant mieux ! Nous vous remercierons, mais ce n'est pas indispensable pour que cette information vitale soit diffusée. Ce livre est simplement le bois d'allumage. Attiser le feu vous revient.

S'il vous plaît, pas de questions !

Au cours des dernières années, j'ai reçu des lettres et des courriels venant de gens qui avaient lu mes autres livres, et par expérience, je sais que les gens contactent les auteurs pour toutes sortes de conseils. Bien que j'aie généralement répondu à ces lettres (et maintenant juste aux courriels), mes réponses étaient rarement précises, car je ne suis pas habilitée à le faire.

Mon travail, en tant qu'auteure, est de divulguer l'information. Je ne suis pas thérapeute, ni conseillère, et surtout pas médecin.

Si vous m'envoyez par courriel des questions médicales, ou si vous voulez savoir ce qui vous arrive en raison de tels et tels symptômes, ou si vous devriez aller consulter un médecin, ou quoi que ce soit à propos de ce que vous devez faire avec votre santé ou votre bien-être, JE NE RÉPONDRAI PAS.

En fait, je ne répondrai à aucune question du tout. Si vous voulez m'indiquer par courriel comment ceci vous a aidé, ou comment *Excusez-moi...* vous a aidé, ou le *Livre Audio* ou peu importe, je répondrai quand le temps me le permettra. Vous pouvez visiter le site www.lynngrabhorn.com pour les détails. Mais s'il vous plaît, pas de questions sur la façon de mener votre vie, ou quoi faire avec votre conjoint, ou si « tels symptômes » que vous pourriez avoir sont ceux dont je parle dans ce livre. OK ?

Nous faisons tous partie du voyage maintenant, alors attachons simplement votre ceinture, exécutons les étapes, faisons un pied de nez à ce qui pourrait nous décourager et soyons à la hauteur pour le reste de notre vie : maintenant et pour toujours.

Merci beaucoup !
— Lynn Grabhorn

À propos de l'auteure

Lynn Grabhorn a étudié longtemps la façon dont les pensées et les sentiments gèrent nos vies. Élevée à Short Hills, au New Jersey, elle a commencé sa vie professionnelle dans la publicité à New York, puis a fondé et dirigé une maison d'édition qui publie des documents éducatifs audiovisuels à Los Angeles, et a possédé et géré une entreprise de courtage en prêts hypothécaires dans l'État de Washington.

Le livre de Lynn, *Excusez-moi, mais votre vie attend*, le livre audio du même titre, le livre *Au-delà des douze étapes* et son programme multimédia *Life course 101*, ont reçu les louanges du monde entier.

Pour obtenir une copie
de notre catalogue,
communiquez avec :

AdA

1385, boul. Lionel-Boulet
Varennes, Québec
J3X 1P7
Téléc : (450) 929-0220
info@ada-inc.com
www.ada-inc.com

Pour l'Europe, voici les coordonnées :
France : D.G. Diffusion Tél. : 05.61.00.09.99
Belgique : D.G. Diffusion Tél. : 05.61.00.09.99
Suisse : Transat Tél. : 23.42.77.40